SAPPORO BIRD GUIDE

〈改訂版〉

さっぽろ野鳥観察手帖

河井大輔 著

2 はじめに
3 本書の構成
4 札幌の野鳥について
6 掲載種一覧
8 緑地の鳥
222 水辺の鳥
282 野鳥のしぐさを「観て」みよう
バードウオッチングをより楽しむために
284 和名さくいん
286 参考にした本＆資料／写真提供者
287 あとがき

PROLOGUE
はじめに

本書は日本最北の政令指定都市・札幌の公園林や緑地で観察できる野鳥を紹介したものです。北は茨戸川、南は滝野、東は平岡、西は手稲山麓および定山渓くらいまでの範囲で、タイミングさえあえばふつうに見られる基本種を対象としました。標高の高い山の鳥、海洋・海浜の鳥、シギやチドリ類、カモメ類などの多くは選外となりましたが、森と川、草原のベーシックな鳥についてはほぼカバーしています。バードウオッチングは鳥の名前を知らなくても楽しめますが、概ね100種ほどの代表種をおさえておけば、どこへ出かけても劇的に野鳥散策が楽しくなるでしょう。

図鑑によって鳥の並べ方（掲載順）はそれぞれです。専門的な図鑑の多くは、概して日本鳥学会『日本鳥類目録』を基準としています。ベテランは分類配列が頭に入っているので、いちいち索引を用いずとも目的の鳥のページを開くことができます。よって分類順の方が使い勝手がよいわけですが、初心者から中級者を対象とする本書は、あえて学術的な配列にはこだわりませんでした。スタートは身近な鳥の代表選手であるスズメからとし、「緑地の鳥」（99種）と「水辺の鳥」（24種）を、それぞれの鳥が属する46のグループ（仲間）ごとにまとめています。

その鳥その鳥の類似性、イメージでの関連付けを重視して「キジバト＋カッコウ類＋ハイタカ類」「オオタカ＋ハヤブサ」「チゴハヤブサ＋ハリオアマツバメ＋ツバメ類」「ヒヨドリ＋ムクドリ」「クマゲラ＋ハシブトガラス」また「瑠璃三鳥」など、かなり変則的な配列にしたところもあります。これらは分類的には遠縁でありながら、見た目の印象や一般的なイメージが共通するため、野外では混同されがちな鳥たちです。鳥の分類をご存知の方には配列の基準や方針がわかりづらいと感じたり、脈絡がつかめず違和感を覚える方がおられるかもしれませんが、「なんとなく似ている」けれど、実は異なるグループなのだということを並べて示したいとの考えから、イメージの似た鳥たちを比較しやすくするための配慮を優先させました。

また本書ではテキストも通常の図鑑的な記述をなるべく避けるようにしました。特に、一般にはなじみの薄い鳥の体の各部名称は、凡例に説明が記載されていても大変わかりづらいものです。そこで学術的な正確性よりは、あえて専門用語を用いない簡略化した表記とすることで、初心者の方にも気軽に読んで頂けるようなスタイルを目指しました。

本書の構成

◉類名(グループ名):その種が属するグループ
◉環境:主な生息環境を5つのパターンに分類
庭+公園+市街地
森林+緑地
草地+河川敷+農耕地
河川+湖沼
◉季節:札幌圏においてその鳥が見られる時季
周年 1年を通して見られる鳥(※通常「留鳥」と表記されますが、同じ個体がずっと同所に留まっているとは限らないため周年と表記)
夏鳥 春に渡ってきて子育てし、秋に渡去する鳥
冬鳥 秋に渡ってきて冬を越し、春に渡去する鳥
旅鳥 渡りの途中(主に春と秋)に見られる通過型の鳥
◉種名:「種名」と北海道に生息する「亜種名」が異なる場合は後者を細字で並記。学名は「属名+種小名」(亜種は「属名+種小名+亜種小名」)で表記。※亜種とは同種のうち色彩や形態が微妙に異なる地域集団の名称
◉漢字名・中国名・英名:代表的なものを記載
◉アイヌ語名:知里真志保『分類アイヌ語辞典 植物編・動物編』(1976)より代表的なものを選出
◉サイズ:全長(L)はクチバシの先から尾羽の先までの長さ。翼開長(W)は開いた両翼の先端から先端までの長さ。雌雄差のある場合はオス(♂)メス(♀)に分けて表記
◉雌雄差:色やサイズの性差を「あり」「なし」微妙な差の場合は「ほぼなし」「ややあり」で表記
◉食べもの:主な採食対象
◉鳴声:代表的な鳴き方を(S)「Song」[さえずり=歌声]と(C)「Call」[地鳴き=通常の声]で示し、特にさえずりらしきものがない場合には分けずに表記
◉国内分布:(繁)は「繁殖地」(冬)は越冬地を示し、またスペースの都合によっては以下のように略記
北海道=北、本州=本、四国=四、九州=九、沖縄=沖
◉国外分布:種としての主な海外の分布域
亜=アジア、印=インド、中=中国、朝=朝鮮半島、台=台湾、豪=オーストラリア、北米=北アメリカ、欧州=ヨーロッパ
◉見られやすさ:ごくふつう・ふつう・ややまれ・まれ・ごくまれの5段階で表記
◉観察適地:その鳥を観察しやすい代表的な探鳥地を以下の番号で表記(あくまで目安であり、そこへ行けば必ずその鳥が見られるというわけではありません)。位置については本書見返し掲載のマップを参照のこと。
①北海道大学植物園②円山公園③旭山記念公園(藻岩山)④中島公園⑤豊平公園⑥西岡公園⑦東屯田川遊水地⑧茨戸川緑地⑨屯田防風林⑩モエレ沼公園⑪川下公園+厚別川河川敷⑫東部緑地⑬平岡公園⑭真駒内公園⑮滝野すずらん丘陵公園⑯定山渓⑰宮丘公園⑱手稲山麓平和の滝⑲富丘西公園⑳星置緑地㉑手稲山口バッタ塚
◉**CHECK!**:その鳥の際立った魅力や、見分けのための特徴的な部分など、じっくり観察してほしいポイントを示しました

ABOUT SAPPORO BIRDS

札幌の野鳥について

石狩平野の南西部に位置し、豊平川の扇状地上にある札幌は、西部から南部に山地が連なり、北部から北東部には低地が広がっています。道内で記録のある約500種の鳥のうち、約300種は札幌圏（石狩管内）でも観察されており、大都市の周辺ながら動植物相は豊かです。天然林の割合が高い森に囲まれ、河川が多く、南方系と北方系の生物が混在している（本州の延長線上にしてシベリアなど大陸との共通種も多い）ことなどがその要因です。

固有種と固有亜種

国内において北海道にしか生息していない鳥はエゾライチョウ、シマフクロウ、ヤマゲラ、コアカゲラ、ミユビゲラ、ハシブトガラの6種です。札幌ではシマフクロウとミユビゲラを除く4種を観察できます(コアカゲラは道東の方が出逢える率の高い鳥ですが)。キタアマツバメ、エゾフクロウ、エゾヤマセミ、エゾアカゲラ、エゾオオアカゲラ、エゾコゲラ、ミヤマカケス、シマエナガ、シロハラゴジュウカラ、キタキバシリの10種は、国内における北海道固有の亜種とされます。ただし本州産亜種と明らかに姿が異なるのはミヤマカケスとシマエナガくらいのもので、他は「全体に白っぽい」とか「やや大きい」といったくらい。一般の野外観察ではそれほどの違いを感じられないでしょう（エゾフクロウは近年の遺伝的研究から別種とされる可能性が高いようですが）。これらは津軽海峡を分布の境界とするものの、飛翔力に長けた他の多くの種は、北海道で子育てを終えると海峡を渡って本州方面に南下していきます。関東以南では周年見られる鳥も、北海道ではその多くが夏鳥です。

市街地や住宅地の鳥

札幌市中心部のビル街ではカラス類、オオセグロカモメ、ドバト、スズメ、ハクセキレイなどが見られます。街路樹や社寺、庭木の豊かな邸宅にはヒヨドリ、キジバト、シジュウカラ類、カワラヒワ、シメ、ツグミなどが現れ、北海道大学植物園や知事公館などの緑地では街の中心部ながらシジュウカラ類、ゴジュウカラ、アカゲラ、コゲラ、コムクドリ、カケスなどが観察できます。アカゲラが市街地や住宅地周辺でも子育てをしているのは北海道ならではの特徴でしょう。道庁や中島公園の池ではマガモやオシドリが見られます。大通公園をオオムシクイが通過し、住宅地の緑地ではチゴハヤブサが繁殖しています。街路樹にナナカマドの植栽が増えるにつれ、近年ではその果実を糧として越冬する鳥たちも出てきました。年による違いがあるものの、早春にはレンジャク類、ギンザンマシコ、イスカ、マヒワなどの群れが立ち寄っていきます。

森や林の鳥

平地から山地の森林は①落葉広葉樹林（ミズナラ、イタヤカエデなど）②常緑針葉樹林（トドマツ、エゾマツなど）③落葉針葉樹林（カラマツ人工林）、そしてそれらの入り混じる④針広混交林に大別できます。鳥の種類が多いのは④で、ツツドリ、キツツキ類、ヤブサメ、ムシクイ類、キクイタダキ、ヒタキ類、エナガ、シジュウカラ類、ゴジュウカラ、キバシリ、アオジ、イカルなどが生息します。①では②を好むキクイタダキ、エゾムシクイ、ヒガラ、キバシリなどが減ります。③の場合、若齢の林ではウグイス、ホオジロ、ベニマシコが、高木の林ではアカハラ、アオジなどが見られます。標高約1,000〜1,500メートル級の山々（手稲山、余市岳、無意根山など）には、②のほか上部に①としてダケカンバ林、稜線部には②としてハイマツ林が見られます。こうした環境にはノゴマ、ルリビタキ、コガラ、クロジ、マヒワ、ウソ、ビンズイなどのほか、本書未収録のカヤクグリ、ホシガラスなども生息していると思われますが、札幌の高い山の鳥については詳しい報告がなく、あまりよくわかっていません。

草地の鳥

河川敷や牧草地、休耕地、荒れ地、湿原といった環境で見られる鳥たちです。オオジシギ、カッコウ、ヒバリ、ノゴマ、ノビタキ、エゾセンニュウ、ヨシキリ類、ホオアカ、オオジュリン、ベニマシコなどが生息しています。灌木や疎林が増えるとアリスイ、モズ、ホオジロ、アオジなどが増えます。シマセンニュウ、マキノセンニュウも草地の鳥ですが、札幌ではあまり見かけません。石狩川と豊平川、豊平川と厚別川の合流点付近のササ原やヨシ原では草原性のタカ類であるチュウヒが子育てをしています。

河川や湖沼の鳥

豊平川や真駒内川などの上流部ではヤマセミ、カワガラス、キセキレイなど、中流から下流にかけてはセグロセキレイ、イソシギ、コチドリ、オオセグロカモメ、アオサギなどが見られます。上空ではイワツバメ、ハリオアマツバメなどが群飛し、河岸の土の露出した土手部ではショウドウツバメやカワセミが巣穴を掘って子育てをしています。中島公園やモエレ沼公園などの湖沼では、春と秋の渡りの時季および冬季間、カモ類などの水鳥に逢えるでしょう。オジロワシやオオワシの越冬個体も、河川や湖沼の中洲や岸辺に姿を見せます。

掲載種一覧

分類	種名	ページ
スズメ類	スズメ	8
	ニュウナイスズメ	10
シジュウカラ類	シジュウカラ	12
	ヒガラ	14
	コガラ	16
	ハシブトガラ	18
	ヤマガラ	20
ゴジュウカラ	ゴジュウカラ（シロハラゴジュウカラ）	24
キバシリ	キバシリ（キタキバシリ）	26
エナガ	エナガ（シマエナガ）	28
	参考亜種エナガ	31
メジロ	メジロ	32
キクイタダキ	キクイタダキ	34
アトリ類	カワラヒワ	36
	亜種オオカワラヒワ	39
	マヒワ	40
	ベニヒワ	42
	アトリ	44
	ウソ	46
	亜種アカウソ	46
	シメ	48
	イカル	50
	ベニマシコ	52
	ギンザンマシコ	54
	イスカ	56
ホオジロ類	アオジ	58
	クロジ	60
	ホオジロ	62
	カシラダカ	64
	ミヤマホオジロ	65
	ホオアカ	66
	オオジュリン	68
ヒバリ類	ヒバリ	70
セキレイ類	ビンズイ	72
	セグロセキレイ	73
セキレイ類	ハクセキレイ	74
	キセキレイ	76
モズ類	モズ	78
ヒヨドリ	ヒヨドリ	80
ムクドリ類	ムクドリ	83
	コムクドリ	86
大型ツグミ類	ツグミ	88
	トラツグミ	90
	アカハラ	92
	亜種オオアカハラ	94
	マミチャジナイ	95
	クロツグミ	96
小型ツグミ類	コマドリ	98
	ノゴマ	100
	ノビタキ	102
	ルリビタキ	105
	コルリ	108
ヒタキ類	オオルリ	110
	キビタキ	113
	コサメビタキ	116
ウグイス類	ウグイス	118
	ヤブサメ	120
ムシクイ類	センダイムシクイ	122
	エゾムシクイ	124
	オオムシクイ	127
センニュウ類	エゾセンニュウ	128
	類似種シマセンニュウ	129
	参考種マキノセンニュウ	129
ヨシキリ類	オオヨシキリ	130
	コヨシキリ	132
カワガラス	カワガラス	134
ミソサザイ	ミソサザイ	136
キツツキ類	アリスイ	138
	コゲラ（エゾコゲラ）	140
	アカゲラ（エゾアカゲラ）	142

類	種	ページ
キツツキ類	コアカゲラ	146
	オオアカゲラ(エゾオオアカゲラ)	147
	ヤマゲラ	150
	参考種アオゲラ	152
	クマゲラ	153
カラス類	ハシブトガラス	156
	ハシボソガラス	158
	カケス(ミヤマカケス)	160
	参考亜種カケス	162
	カササギ	163
レンジャク類	キレンジャク	164
	ヒレンジャク	166
ハト類	アオバト	168
	キジバト	171
	類似種カワラバト(ドバト)	173
カッコウ類	カッコウ	174
	ツツドリ	176
ハイタカ類	ハイタカ	179
	オオタカ	181
ハヤブサ類	ハヤブサ	184
	チゴハヤブサ	186
アマツバメ類	ハリオアマツバメ	188
	アマツバメ(キタアマツバメ)	191
ツバメ類	ショウドウツバメ	192
	イワツバメ	194
	ツバメ	196
タカ類	トビ	197
	ノスリ	201
	チュウヒ	204
	ミサゴ	205
ワシ類	オジロワシ	206
	オオワシ	209
フクロウ類	フクロウ(エゾフクロウ)	212
キジ類	エゾライチョウ	216
	タイリクキジ(コウライキジ)	219
カモ類	オシドリ	222
	コガモ	225
	マガモ	228
	カルガモ	231
	ハシビロガモ	234
	ホシハジロ	235
	ヒドリガモ	236
	オナガガモ	238
	キンクロハジロ	240
アイサ類	カワアイサ	242
	ミコアイサ	244
クイナ類	バン	246
	オオバン	247
カイツブリ類	カイツブリ	248
カモメ類	オオセグロカモメ	250
	参考種セグロカモメ	252
ウ類	ウミウ	254
	類似種カワウ	256
サギ類	アオサギ	258
	ダイサギ	262
	亜種ダイサギ	262
	亜種チュウダイサギ	264
	参考種チュウサギ	267
	参考種コサギ	267
シギ類	オオジシギ	268
	イソシギ	272
チドリ類	コチドリ	274
カワセミ類	カワセミ	276
	ヤマセミ(エゾヤマセミ)	280

スズメ類

スズメ目スズメ科

周年

スズメ *Passer montanus saturatus*

漢字名　雀　　中国名　麻雀 / 老家子　　英名　Eurasian Tree Sparrow

アイヌ語名　アマメチカプ amam-e-cikap（粟・食う・鳥）ほか

サイズ　14センチ　　雌雄差　なし　　食べもの　昆虫類・種子

鳴声　チュ，チュッチュン（S）チュン，チュン/ジュジュジュ（C）

国内分布　ほぼ全国　　国外分布　東南アジア〜ヨーロッパ

見られやすさ　ごくふつう　　観察適地　ほぼ全域（山間部は少）

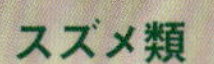

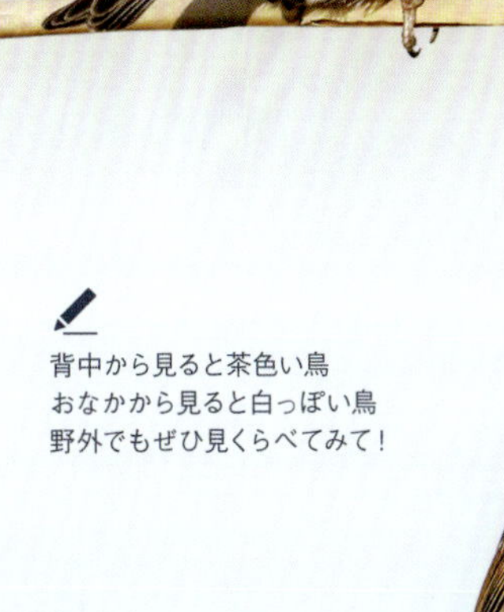

ありきたりな鳥と見過ごされがちです。でも、よく観れば味のある和のテイスト。愛らしいしぐさ。ちょんちょん跳ねるようすは「すずめの小躍り」。寒さをふせぐため羽をふくらませたようすは「ふくらすずめ」。求愛の際、胸を張り、尾羽を立てたポーズで迫るオスの姿はとってもキュート。鳴き方も季節によりちがいます。交尾の時はつやっぽく、ケンカでは激しく。春は長く朗々と、秋はみんなでにぎやかに。ずっと同じところに住み着いているようで、実は本州方面に渡って冬を越しているものたちもいます。札幌の都心部では街灯などを利用して子育てをするものも。巣材のはみだした隙間から、ヒナのかすかな声が聞こえてきます。

スズメ目スズメ科

ニュウナイスズメ *Passer cinnamomeus rutilans*

漢字名 入内雀	中国名 山麻雀 英名 Russet Sparrow
サイズ 13.5センチ	雌雄差 あり 食べもの 昆虫類・種子
鳴声	チーチュリチョチリリ(S) チーエ/チュチュチュチュ/シリリ(C) /ジュジュ(♀)
国内分布 北海道〜九州	国外分布 中国東南部・東南アジア
見られやすさ ややまれ	観察適地 ⑥⑨⑫⑬⑭⑮⑰⑲⑳㉑など

ほっぺたに黒斑がなく、メスには眉毛のある、頭が赤っぽいスズメです。人家のまわりではほとんど見られず、公園や河川敷の林、防風林などに暮らし、樹洞やキツツキの古い巣穴、電柱のパイプ穴や建造物のすきまなどを利用して子育てしています。変わった名前の由来には諸説あってはっきりしませんが、平安時代の歌人・藤原実方（ふじわらのさねかた）が左遷先の東北で憤死、その怨念がなぜか「雀の妖怪」と化して京の宮中（内裏）に舞い戻り、台所のお米をこっそり食べちゃうという「入内雀」説がユニーク（ただし意味的に読み方は「じゅだい」となるはずですが）。北日本で夏を過ごした本種が秋に中部以南へ渡り、群れで稲を食べ荒らす生態に重ねた寓話のようです。怨霊だというのに特に恐ろしくもなく、むしろちょっとセコくてかわいらしい感じもします。

シジュウカラ類

スズメ目シジュウカラ科

シジュウカラ *Parus cinereus minor*

漢字名 四十雀　**中国名** 蒼背山雀 / 白頬山雀　**英名** Japanese Tit

アイヌ語名 パケクンネ pake-kunne（頭・黒い）ほか

サイズ 14.5センチ　**雌雄差** ややあり　**食べもの** 昆虫類・種子

鳴声 ツピツピツピツピ / ツツピー，ツツピー，ツツピー（S）ツピッ / ヂュクヂュク（C）

国内分布 ほぼ全国　**国外分布** 東アジア〜ロシア極東

見られやすさ ごくふつう　**観察適地** ほぼ全域

住宅地でも見かける身近な鳥である一方、山深い森や海岸の林など、意外なところにも姿を見せます。一見そっくりなオスとメスは、胸にある黒いネクタイ風のデザインの太さで見分けるのですが、時にどっちつかずのものもいて困ることがあります。子育てのシーズンを迎えるとオス同士が対立し、胸のネクタイ模様を誇示しあって優劣を決め、ナワバリを確保。オスはメスを連れ、樹洞やキツツキの巣穴、電柱や石垣の穴など、すまいの候補先を案内してまわります。名の由来には「始終カラカラ鳴いているカラ」などというダジャレじみたものも。秋から冬は他のカラ類や小鳥たちを交えた「混群」と呼ばれる群れで過ごします。仲間うちではいちばんからだが大きいので、しばしば高圧的な態度を見せたりもする威張りんぼうさんです。

シジュウカラ類

スズメ目シジュウカラ科

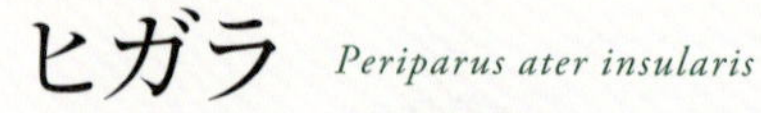

ヒガラ *Periparus ater insularis*

漢字名 日雀　**中国名** 煤山雀 / 黑山雀　**英名** Coal Tit

アイヌ語名 ポンパケクンネ pon-pake-kunne（小さい・頭・黒い）ほか

サイズ 10.5センチ　**雌雄差** なし　**食べもの** 昆虫類・種子

鳴声 ツピツピツピツピ / チチョン, チチョン, チチョン（S） チー / ツィー / チリリ（C）

国内分布 北海道〜屋久島　**国外分布** 東アジア〜ヨーロッパ

見られやすさ ふつう　**観察適地** ほぼ全域

シジュウカラ類

うしろあたまに
ハゲっぽいライン

カラ類でも最小で10センチほどしかありません。その割に金属的かつリズミカルなさえずりはよく響きます。シジュウカラの歌い方に少し似ていますが、より早口で跳ねるような印象があります。黒い頭と白い頬がシジュウカラそっくりなので、慣れないと見分けがつきにくいかもしれません。胸のネクタイがなく、後頭の白いラインが長く、時どき頭の羽毛(冠羽)を立たせるあたり、そしてこぢんまりとした体格の違いに着目です。冠羽を立てたようすは寝ぐせのようでとっても愛らしいのですが、恋やけんかでコーフンし、すっかり逆立てた状態となると、なんだか別の鳥のように見えることもあります。針葉樹の種子が好物なので、マツの木が混じった林でよく見かけます。

シジュウカラ類

スズメ目シジュウカラ科

コガラ *Poecile montanus restrictus*

漢字名 小雀 / 樺太小雀	**中国名** 褐頭山雀 / 歌山雀　**英名** Willow Tit
サイズ 12.5センチ　**雌雄差** なし	**食べもの** 昆虫類・種子

鳴声 チチョー, チチョー, チチョー / ヒツー, ヒツー, ヒツー (S) チチ, ジェージェー (C)
(本州のコガラのさえずりはヒツピー, ヒツピー / ヒーツーチー, ヒーツーチーなど)

国内分布 北海道〜九州　**国外分布** 東アジア〜ヨーロッパ

見られやすさ ふつう　**観察適地** ⑥⑮⑯⑰⑱など

北海道のコガラを亜種カラフトコガラとした場合の学名は *P.m.sachalinensis* となります

枯木に自分で穴をあけて巣づくりします
ほかのカラ類にはまねのできない得意ワザ

いろいろな小鳥たちと混群で暮らす冬は、よく森の中を先導しています。よい餌場を見つけると、くりかえし甘やかな地鳴きを発して他の鳥たちに知らせます。ひとりじめした方がよさそうなものですが、きっとみんなと一緒に食べる方が安心するのでしょう。さえずりはゆったりしたテンポの、たおやかな印象のある金属的な歌声。本州の亜種とは鳴き方やリズムが違うため、北海道のものはサハリン以北に棲む別の亜種ではないかとも考えられています。自力で枯木に穴を掘って巣づくりするのは、他のカラ仲間には見られない特徴です。

天候や光の加減により背の色は濃いグレーに見えます

ノドにも光沢のない黒斑

尾羽は黒く、外側は白っぽく見えます

シジュウカラ類

スズメ目シジュウカラ科

ハシブトガラ *Poecile palustris hensoni*

漢字名	嘴太雀	中国名	沼澤山雀 / 黑頭山雀	英名	Marsh Tit
サイズ	12.5センチ	雌雄差	なし	食べもの	昆虫類・種子
鳴声	フィーフィーフィーフィー / チョチョチョチョチョ (S) チチ, ジェージェー (C)				
国内分布	北海道	国外分布	東アジア・ヨーロッパ		
見られやすさ	ふつう	観察適地	ほぼ全域		

CHECK! たたんだ羽の縁が重なって
うっすら白っぽく見えますが
コガラほど白くはなりません

樹洞やキツツキの古巣などに巣をつくります
自分では穴を掘りません

白く目立ちます

そっくりさん コガラ

コガラという、うりふたつのそっくりさんがいて、ほとんど見分けがつきません。別の種でありながら、いったいどうしてここまで姿を似せなくてはならなかったのか、実に不思議です。子育ての季節になると針葉樹の多い山の森へ入るコガラに対し、ハシブトガラは平地から山地までのいろいろな環境で見られます。日本では北海道でしか見られない鳥のひとつ。やわらかみと力強さのある独特の歌声で、コガラとはさえずりが違うとされますが、同じ所で2種がそれぞれ鳴きあっていると、どういうわけかどちらからともなく次第に音色が似てくることがあります。そのような時、当の鳥たちはいったいどんな気持ちで歌っているのでしょうか。とても気になります。

シジュウカラ類

スズメ目シジュウカラ科

ヤマガラ *Sittiparus varius varius*

漢字名 山雀 **中国名** 雜色山雀 / 赤腹山雀 **英名** Varied Tit	
アイヌ語名 エヌムノヤ enumnoya / ヌムノヤチプ numnoya-cip	
サイズ 14センチ **雌雄差** なし **食べもの** 昆虫類・種子	
鳴声 ヅーヅーピー,ヅーヅーピー (S) ニーニー/ツィーツィー (C)	
国内分布 北海道〜九州 **国外分布** 南千島・朝鮮半島・台湾	
見られやすさ ふつう **観察適地** ほぼ全域	

ヤマガラの学名
2000年までシジュウカラ属 *Parus varius varius*
2012年からコガラ属 *Poecile varius varius*
現在はヤマガラ属 *Sittiparus* が提唱されています

白と黒を基調とするカラ類のうち、この鳥だけはとてもカラフル。南方をイメージさせる装いなれど東洋の特産種。日本とその周辺でしか見られません。北海道では道南から石狩地方にかけてが主な分布域。特に札幌圏では、街のちょっとした緑地でもおなじみ。ある意味「札幌らしい鳥」のひとつかもしれません。ドングリなどの木の実、オンコ（イチイ）の種子が大好物で、秋には赤い実をくわえた姿をよく目にします。おいしそうな果肉ではなく、硬いタネをクチバシで割って食べています。その一方で、樹皮の割目や地中などへさかんに種子をストック。これは貯金ならぬ「貯食」と呼ばれる行動。餌不足の冬だけでなく、翌春の子育てにも役立てようというしっかりものですが、うっかり拾い忘れた種子から、また新たな芽吹きがはじまります。

シジュウカラ類

カラ類5種の見くらべ・地鳴きくらべ

「カラ類」と呼ばれるシジュウカラの仲間5種を並べてみました。
おなじみの小鳥たちなので、この子たちの見分けがつくようになると
バードウオッチングが格段に楽しくなります。

額からほっぺたが
クリーム色

鼻にかかった濁った感じ
ニーニーニー

ヤマガラ
14 センチ
ずんぐりして大きい

おなかが橙色
このカラーはヤマガラだけ

やや鼻にかかった
甘い感じのする
チチ, ジェージェー

ハシブトガラ
12.5 センチ
名は「クチバシが太いカラ」
ですが、そうは見えません
大きさはコガラと同じです

白く目立たないとされますが
白くないわけではないです

黒いベレー帽とノドに
光沢がある（ハシブトガラ）
光沢がない（コガラ）
しかし野外では光の加減で
どちらにも見えちゃいます

クチバシの合わせ目が
白い（ハシブトガラ）
白くない（コガラ）
ただし光が当たるとどちらも
白く光って見えちゃいます

たたんだ羽のこの
部分が白く目立ちます

ちょっとキツイ感じのする
チチ, ジェージェー

この2種の見極めは超難関
（野外ではほとんどムリかも）

コガラ
12.5 センチ
ハシブトガラと同じ大きさ

スズメ目ゴジュウカラ科

ゴジュウカラ　シロハラゴジュウカラ　*Sitta europaea asiatica*

漢字名　白腹五十雀　**中国名**　普通鳾 / 茶腹鳾　**英名**　Eurasian Nuthatch

アイヌ語名　シエチカプ si-e-cikap（糞・食う・鳥）ほか

サイズ　14センチ　**雌雄差**　ほぼなし　**食べもの**　昆虫類・種子

鳴声　フィーフィー / フィフィフィフィ（S）トピョッ，ピョッピョッ / ツィッ，ツィツィ / チー（C）

国内分布　北海道〜九州（本亜種は北海道のみ）　**国外分布**　ユーラシア

見られやすさ　ふつう　**観察適地**　ほぼ全域

ゴジュウカラ

涼やかでダンディな衣装です。これを「50歳の隠居」になぞらえた名称ともいわれます(江戸時代の感覚ですね)。木の幹をくるくる回りながら上がったり下がったり、ご隠居にしてはずいぶん活発な動き。頭を下に向け、木を逆さまに降下できるという芸当は、この鳥ならではの離れワザ。北海道のものは、本州のものにくらべ脇の橙色や背の青味、おしりの褐色部分などが薄いのが特徴です。小さな体のくせに、大きなクマゲラの巣の「乗っ取り」をくわだてたりもするツワモノ。泥を用いて相手の巣穴を縮小工事し、自分好みの穴のサイズにリフォームしてしまいます。よく響く大きな声のバリエーションは実に多彩。春の森でいち早く鳴きだします。

CHECK! 樹上で逆さまになれます(あたまを下に向けてとまることができます)

スズメ目キバシリ科

周年

キバシリ　キタキバシリ　*Certhia familiaris daurica*

漢字名 北木走	**中国名** 旋木雀	**英名** Eurasian Treecreeper
サイズ 14センチ	**雌雄差** なし	**食べもの** 昆虫類
鳴声 ピーピョピョ，ツリリリ(S) ツーツリリリリッ/シリリリリッ(C)		
国内分布 北海道〜九州（本亜種は北海道のみ）	**国外分布** ユーラシア	
見られやすさ ややまれ	**観察適地** ②③⑥⑮⑯⑰⑱など	

CHECK! 樹皮そっくりの模様ですがよく観るととてもきれいな色あいです。ときどき蓑（みの）を被ったようにふくらませています

キバシリ

やや湾曲した細く鋭い長めのクチバシ
樹皮の隙間の虫を捕らえるのに便利

背の模様は一見、木の皮にそっくり。でもよく観ればワビというのかサビというのか、まさに枯淡の美。おなかは真っ白。全体にどこか高貴な印象があります。さえずりもかぼそいものながら美声です。ただあまり鳴かないうえに遠目には樹皮に溶け込んでしまうので、気づかれにくい鳥でしょう。本州以南では深い山に棲んでいますが、北海道では低山でも子育てしており、冬には街中の緑地でも見かけます。らせん状にくるくると回りながら幹を這い上がっていき、頂に達すると近くの木の下方へ飛び移ります。そして再びよじ登りはじめるということをくりかえします。後退することはあっても、ゴジュウカラのように頭を下にして降りることはありません。

下腹部に淡い褐
色味があります

樹の幹にタテにとまることができます
丈夫な尾羽をヘラのように押しつけ
しっかり体を支えているあたりは
キツツキっぽい印象です

スズメ目エナガ科

エナガ シマエナガ *Aegithalos caudatus japonicus*

漢字名 島柄長 **中国名** 銀喉長尾山雀 / 白頭長尾山雀 **英名** Long-tailed Tit

アイヌ語名 ウパシチリ upas-cir（雪・鳥）

サイズ 14センチ **雌雄差** なし **食べもの** 昆虫類

鳴声 チーチーチー，チュリリ，ジュリリ（S）ジュリジュリ/チュリリ/チーチー（C）

国内分布 北海道～九州（本亜種は北海道のみ） **国外分布** ユーラシア・欧州

見られやすさ ふつう **観察適地** ①②③⑤⑥⑫⑬⑭⑮⑰⑲など

背中側は黒っぽく見える

背には淡いぶどう色の
部分があります

黒い翼に白いストライプ
が入ります

ひしゃくの柄のような長い尾羽が名前の由来
表側から見ると黒く両側が白くなっています

ふわふわした白い毛糸玉のような小鳥です。「尾が長い」ではなく「柄が長い」という名称は、すらりと伸びた尾羽を柄杓に見立てたものでしょう。落葉の季節は小さな群れで森をめぐっています。さえずりらしいものを持たない代わりに、音声コミュニケーションはよく発達しているようで、いつも小声でささやきあうように鳴きあっています。コケや地衣類をクモの糸やガの繭をほどいたもので編み上げた巣は、まさに芸術品。ちょこんとした、ごく小さな短いクチバシだけで、よくぞこれだけのものをと感心させられます。木の上をせわしなくちょこまかと動きまわりながら、小さな昆虫をつまんだり、カエデの樹液をなめたりして暮らしています。

エナガ

おしゃべりエナガたちの集団がやってくると、それまでひっそりしていた森がとたんに活気づくようです。枝から枝へと移り渡り、さかさまに吊り下がったり、ホバリング（停空飛翔）したりとアクロバットな身のこなし。カラ類の混群に先行していることもあれば、一緒になっていることもあります。群れが去ると、冬の森にまた静けさが戻ってきます。

アクロバットな動きをするとき
この長い尾羽をつかって体の
バランスをとっています

亜種シマエナガ(*A. c. japonicus*)は
亜種コウライシマエナガ(*A. c. caudatus*)と
同じともされます

本州産亜種エナガと道産亜種シマエナガ

同じ「種」でも地理的に隔てられ、外形で区別できるものを「亜種」といいます。本州産エナガの顔は黒っぽく、道産は真っ白。よってエナガという「種」のうち、道産は「亜種シマエナガ」、本州産は「亜種エナガ」と呼ばれます(本州産の亜種名は種名と同じということになります)。黒顔と白顔のエナガが津軽海峡を境に棲み分けているのですが、まれに道南には亜種エナガが飛来し、東北にもシマエナガが現れることがあります。海を渡るのがそんなに得手な鳥ではないというだけで、冒険心に富んだ個体は時どき海の向こうをのぞきに行くのかもしれません。

本州産のエナガは目の上に黒くて太い
ラインがあるため顔が黒っぽく見えます

参考亜種 エナガ
A. c. trivirgatus
本州で見られる亜種

シマエナガの幼鳥は本州産エナガに似て
顔が黒っぽいので注意です。頭全体が
ほとんど黒ずんでいるようなものもいます

スズメ目メジロ科

メジロ *Zosterops japonicus japonicus*

漢字名	目白	中国名	暗綠繡眼鳥	英名	Japanese White-eye
サイズ	12センチ	雌雄差	ほぼなし	食べもの	果実・花蜜・昆虫類
鳴声	チーチュル, チチュルチチュルチー (S) チィー, チィー (C)				
国内分布	ほぼ全国	国外分布	アフリカ・アジア・豪・南太平洋諸島		
見られやすさ	ふつう	観察適地	②③⑤⑥⑬⑭⑮⑰⑲⑳など		

CHECK! 頭は明るい緑
目のまわりが白い

ノドは黄色い

おなかは白く、この格好では
頭色とのコントラストが明瞭
♂は黄色味が濃いとされます

北国に遅い桜が咲くと、花から花へとにぎやかに鳴きながら飛び移っていくメジロたちの姿が見られます。花の蜜が大好物なのです。さえずりはよく響くうえに、複雑で長い節回し。ホントにこの小さな鳥が鳴いているのかしらとびっくりさせられます。チャームポイントは目のまわりにある白い輪。オスは、このアイリングを陽の光で輝かせ、メスに愛のアピールをするそうです。ならばどうしてメスにもあるのでしょう。オスのプロポーズを受け入れたメスは「輝きがえし」で応じるのでしょうか。本当なら、まさに愛リング。ときに「梅に鶯」の正体はメジロとされ、和菓子の鶯餅に代表される、いわゆるウグイス色というのは、実のところメジロの背の色のようです。

スズメ目キクイタダキ科

周年

キクイタダキ *Regulus regulus japonensis*

漢字名 菊戴 **中国名** 戴菊鳥 **英名** Goldcrest	
サイズ 10センチ **雌雄差** ややあり **食べもの** 昆虫類	
鳴声 ツツツツツチィーチィーチョリチチチョ (S) ツィッ/チチチッ/ジージー/リーリー (C)	
国内分布 北海道〜本州中部(繁) 全国(冬) **国外分布** ヨーロッパ・中央アジア	
見られやすさ ふつう **観察適地** ②③⑤⑥⑬⑭⑮⑰⑲⑳など	

CHECK! あたまのてっぺんに黒いライン
その中に黄色いライン(菊紋様)
さらにその中央部には♂だけに紅が
あります(ふだんはあまり見えません)

正面顔のかわいらしさは無敵

おなかは淡い黄白色

針葉樹が大好き

クチバシの基部から伸びる
ヒゲのような模様

キクイタダキ

日本最小の鳥のひとつ。頭の上に黄色い羽毛があります。メスへの求愛やナワバリ争いなどでエキサイトすると、それを扇形に開きます。まるで菊の花が咲いたようです。そこへオスにだけ紅がほどこされており（この羽毛はふだん見えたり見えなかったりします）特に色の濃い個体は鮮やかなオレンジ色に。めったに見られない誇示行動なのですが、まれになにげなく開帳していることもあって油断できません。夏は山地の針葉樹林に暮らし、秋から冬は平地の林にも現れます。山を下りても針葉樹からは離れません。枝葉の中をちょこまか動きまわり、パッと飛び上がっては昆虫を捕えます。しばしば見せるホバリング（停空飛翔）のようすも、要チェックの愛らしさです。

スズメ目アトリ科

カワラヒワ *Chloris sinica minor*

漢字名 河原鶸 / 大河原鶸　**中国名** 金翅雀 / 黄翎子　**英名** Oriental Greenfinch

サイズ 14.5－16センチ　**雌雄差** ややあり　**食べもの** 種子

鳴声 キリリコロロ，チュイチュイチュイ，ビィーン(S) キリリッ，コロロ/ジュイーン(C)

国内分布 北海道～九州　**国外分布** 北アジア・東アジア

見られやすさ ごくふつう　**観察適地** ほぼ全域

CHECK! 飛ぶと羽の黄色い帯がよく目立ちます

住宅地や公園で見られる身近な鳥として、場所によってはスズメよりも目にする機会の多い鳥かもしれません。鈴の音を転がすような声のあとに〈ビィーン〉という独特の音を出す特徴的な鳴声がしたら、まわりを見渡してみてください。電線や街路樹などの上に、体を立て気味にしてとまっている小鳥の姿が見つかるでしょう。目先の黒っぽさがなんとなくメランコリックな印象を与えます。羽をたたんでいる時にも目立つ黄色い斑紋は、飛んだ時に帯状となっていっそう鮮やかに目を引きます。「ヒワ」とは小型アトリ類の名称で英名ではフィンチ。「オリエンタルなグリーンのフィンチ」とは、この鳥にぴったりの素敵なひびきです。

目先があまり黒くありません

翼は黒をベースにして
黄色と白い部分があります

♀は全体に色が淡く
緑色味に欠けます

おしりは白いです

♀

 腹面

庭木の豊かな住宅地では、常緑樹の植込みの中で家人も知らぬ間にひっそり子育てをしていることがままあります。巣づくりも卵を温めるのも、すべてメスだけで行い、オスは他の個体がメスに近づかないようガードしています。ペアをつくれなかった独身のオスが近くでうろうろしているからでしょうか。ヒナにはペアで給餌を行います。種子だけで育てるベジタリアンで、食べたものを一時的に貯えておく嗉嚢（そのう）に大量の種子を詰め込んで巣に運び、それを吐き戻してヒナに与えます。ヒナもまた嗉嚢に餌を貯め、少しずつ消化するという特質があります。よって親が巣を訪れる回数は、他の鳥にくらべ少なめです。

◉幼鳥

子育てを終えた亜種カワラヒワは、秋になると本州方面へ南下していきます。入れ替わるようにして亜種オオカワラヒワがカムチャツカ、千島列島北部から冬鳥として渡ってきます。「オオ」といっても極端に大きいわけではないので、野外でのサイズによる見分けは容易ではありません。翼の縁どりの白い部分が幅広く見えることが特徴とされます。ただし、どっちつかずで判断しにくいものも結構います。また、白斑のよく目立つ個体を夏季に見かけることもあれば、近年、亜種カワラヒワと思われる群れが暖地へ向かわず越冬していることもあります。ごく身近な鳥でありながら、その生態についてはまだよくわかっていないこともたくさんあるのです。

スズメ目アトリ科

冬鳥 周年

マヒワ *Spinus spinus*

漢字名 真鶸	中国名 黄雀 英名 Eurasian Siskin
サイズ 13センチ	雌雄差 あり 食べもの 種子
鳴声	チュルチュルジュクジュクチュイーンチチチュイ(S) チュイーン/ジュイーン(C)
国内分布 北海道～本州中部(繁) 全国(冬)	国外分布 ユーラシア亜寒帯(繁)
見られやすさ ふつう	観察適地 ほぼ全域

夏は標高の高いダケカンバやエゾマツの森で子育てをしているので、登山中でもないと出逢える機会はなさそうです。秋になると山から下りてくるもの、北方から冬鳥として渡ってくるものが平地にも現れ、林の梢に集まり木の実の種子をもくもくと食べているところや、賑やかに鳴きかわしながら飛んでいるところなどを観察できます。カワラヒワ（前項）と同じく種子食専門のベジタリアン。年により渡来する数がまちまちなのは、大陸の森の種子の豊凶に左右されているのでしょう。渡去は遅く、初夏の木立からさえずりが聞こえてくることも。鮮やかな黄色の衣装が自慢のこの鳥に「ヒワのなかのヒワ」を意味する素敵な名前を与えた人のセンスに脱帽です。

スズメ目アトリ科

ベニヒワ *Acanthis flammea flammea*

漢字名 紅鶸	中国名 白腰朱頂雀	英名 Common Redpoll
サイズ 14センチ	雌雄差 ややあり	食べもの 種子

鳴声 チュイーン/ジュジュジュジュ/ビュッビュッ(C)

国内分布 北海道〜本州中部 **国外分布** ユーラシア寒帯〜亜寒帯(繁)

見られやすさ ややまれ **観察適地** ③⑤⑥⑨⑭⑰⑲⑳など

名の通り、紅色がチャームポイントのヒワ。濃淡にはやや個体差があり、鮮やかに紅いものたちが集まると、まるで雪原にちりばめられた苺のよう。森や林の奥よりは、河川敷や防風林沿いの草地など、開けたところに集まっています。渡来数が年により異なるのは、マヒワ（前項）と同じように大陸の木の実が豊作の年には大きな移動を行わないためでしょう。カバノキ科の堅果をつついて中の種子を食べたり、ドライフラワーとなった草の種子をついばんだり。そのようすはとても愛らしく、まさに冬のアイドル。マヒワとは仲よしで、どちらかがどちらかの群れに混じっていたり、それぞれの群れが合体していることも。まれに若葉の頃まで残っているものもいます。

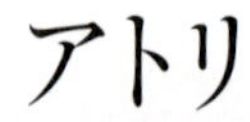

アトリ類

スズメ目アトリ科

アトリ *Fringilla montifringilla*

漢字名 花鶏		**中国名** 燕雀／花雀		**英名** Brambling	
サイズ 16センチ		**雌雄差** あり		**食べもの** 種子・果実	
鳴声 ビィーン(S)／キョッ，キョッ／チューン(C)					
国内分布 ほぼ全国		**国外分布** ユーラシア亜寒帯(繁)			
見られやすさ ややまれ		**観察適地** ③⑤⑥⑧⑨⑩⑭⑮⑰など			

冬羽から夏羽に変わりつつあるところ

常に集まって行動しているので「集まる鳥」からきた名称とされます。漢字名は「花鶏」。黒と白そしてオレンジのカラフルな小鳥たちが大群で飛びかうさまを、枯野に咲いた大輪の花になぞらえたとする風雅な見方もあります。飛来数は年による変化が大きく、多い年には市街地の街路樹にも現れナナカマドの実などを食べています。晩秋と早春に見る機会が増え、春先の防風林でさえずっていたり、雪どけの草地に集まって採食している姿も目にします。春が近づくにつれ装いが冬から夏の色あいに変わり、少しずつ頭が黒くなっていくのは、羽が抜けかわるためではなく、羽先が擦り切れ、内側の黒色が表面に出てくるためです。

飛ぶと腰の白がよく目立ちます
渡来数が多い年は大群となります

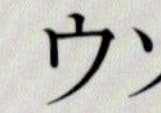

アトリ類

スズメ目アトリ科

ウソ *Pyrrhula pyrrhula griseiventris*

漢字名　鷽　　中国名　紅腹灰雀 / 拙老婆　　英名　Eurasian Bullfinch

アイヌ語名　シケㇾペチリ sikerpe-ciri（キハダの果実・鳥）

サイズ　16センチ　　雌雄差　あり　　食べもの　木の芽・種子・昆虫類

鳴声　フィョフィョフィーフィー / フィーホーフィー，フィヨー（S）フィー，フィー（C）

国内分布　北～本州中部（繁）～九（冬）　　国外分布　ユーラシア亜寒帯（繁）

見られやすさ　ふつう　　観察適地　②③⑤⑥⑨⑫⑬⑭⑮⑰など

山地の針葉樹林で子育てし、秋から冬に小さな群れをつくって平地へ下りてきます。ダンディな黒い帽子、愛らしき頬紅、絹のようにしっとりとした衣装。高貴な印象を漂わせつつも、そのふくふくした体型はどこか庶民的。「口笛を吹く」を意味する「うそぶく」から来た名称は、やわらかな笛の音のような鳴声を表したもの。木々の梢でのんびり鳴き交わしているようすはなんだかとても幸せそう。ところが春には人びとが心待ちにしている桜の芽をごっそりついばんでしまったり、蜜を吸うため花を切り落としたりと悪さもします。冬によく目にするのは、北方から渡ってくるアカウソという亜種。おなかにうっすら紅色味を帯びるのが特徴です。

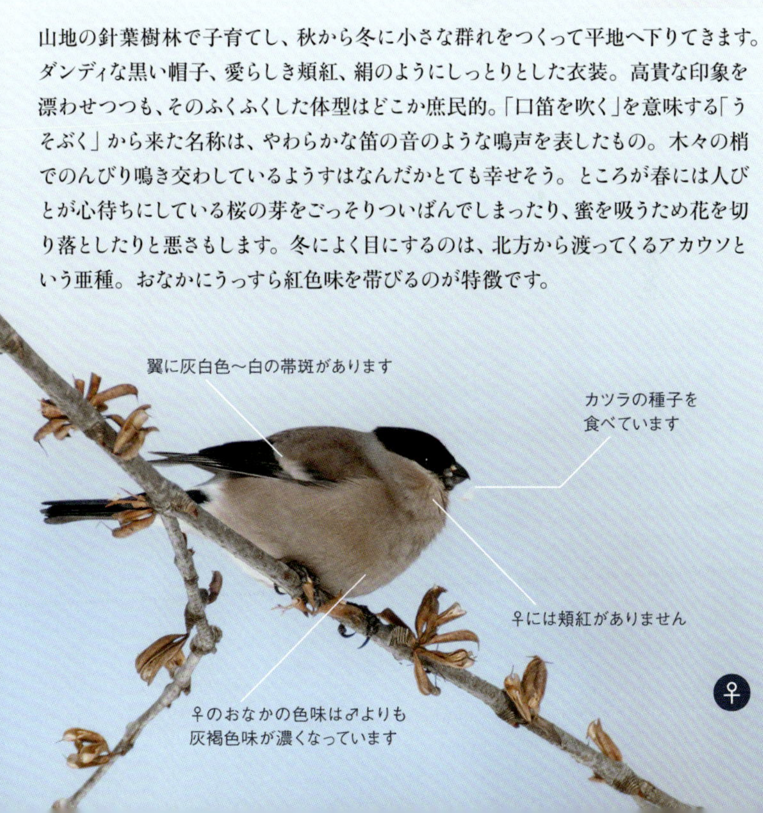

アトリ類

スズメ目アトリ科

周年

シメ *Coccothraustes coccothraustes japonicus*

漢字名 鴲　**中国名** 錫嘴雀 / 臘嘴雀　**英名** Hawfinch

サイズ 19センチ　**雌雄差** ややあり　**食べもの** 種子・昆虫類

鳴声 チッ,チッ,チッ,チチーッ,ピッ,ピッ (S) ツィー/チチッ/チキッ (C)

国内分布 北～本州中部(繁) 全国(冬)　**国外分布** ユーラシア中緯度地域

見られやすさ ふつう　**観察適地** ほぼ全域

♂ 冬羽

羽の一部に、他の鳥にはない独特の意匠が凝らされています。翼をたたんだ時、羽先近くに見える、濃紺の光沢をもった注連縄(しめ)の紙垂(しで)のようなデザインです。翼を開いた時にフラッシュする白帯のように、求愛行動の時などに生かすのでしょうか。札幌圏では春に本州から渡来して子育てし、秋にまた戻る「夏鳥」タイプと、秋に北方から渡来して越冬し、春にまた戻る「冬鳥」タイプが混在しています。公園や庭などで見かけるのは冬のことが多く、群れでいることもあります。夏の森で出逢うとクチバシが光沢ある鉛色に変わっています。それだけアピール力のある部分なのでしょう。硬い種子を割って食べるほか、昆虫も採食しています。

アトリ類

スズメ目アトリ科

イカル *Eophona personata personata*

漢字名	斑鳩	中国名	黑頭蠟嘴雀 / 桑鳲	英名	Japanese Grosbeak
サイズ	23センチ	雌雄差	なし	食べもの	木の芽・種子・昆虫類
鳴声	キィーコーキィー / キコキコキー (S) キョッ，キョッ (C)				
国内分布	北海道～九州	国外分布	中東北部・沿海州・朝鮮半島		
見られやすさ	ふつう	観察適地	②③⑥⑫⑬⑮⑰⑱など		

鮮やかな黄色と黒のコントラスト。一歩間違えるとどぎつい感じになりそうですが、この鳥の場合はむしろ高貴な印象。しぐさもおっとりしていて、やっぱりどこか貴族的な雰囲気を身にまとっています。鳴声も独特の品のよさ。明るく澄んだ、よく響くのどかな節回し。薫風の森にぴったりの音色です。オスもメスもさえずり、唄いながらコミュニケーションをとる夫婦仲のよさでも知られます。短くて太いクチバシは、堅い木の実を押し砕くのに最適です。頭上からパチン、パチンと種子を割る音が聞こえてきたら、「豆割」の異名も持つイカルの姿が木立の梢に見えるかもしれません。地鳴きは、ちょっとキツツキにも似た、やや鋭く短い声です。

スズメ目アトリ科

夏鳥

ベニマシコ *Carpodacus sibiricus sanguinolentus*

漢字名 紅猿子 **中国名** 長尾雀 **英名** Long-tailed Rosefinch	
サイズ 15センチ **雌雄差** あり **食べもの** 昆虫類・種子・果実	
鳴声 チュリチィー，チュルチュリチュ（S）ピッポッ，ピポポッ/フィ，フィ（C）	
国内分布 北〜下北（繁）本州以南（冬） **国外分布** 北亜	
見られやすさ ふつう **観察適地** ⑤⑥⑦⑧⑨⑩⑪⑰㉑など	

♂ 夏羽

♀は黄土色
紅いところがありません
胸からワキに縦斑あり

♂♀共に羽に
白い帯が2本あります

「猿子」とは、その紅い姿を赤ら顔のサルになぞらえたもの。頭や顔に銀白色が目立つあたりは、むしろ風格ある「老猿」といった印象でしょうか。この銀髪がやけに立派なものもいて、求愛や争いの時のディスプレイ（誇示行動）ではいかにも自慢気にふくらませています。まばらに木のある川べりの草地や防風林のきわなどいくぶん開けた場所を好み、低木の上に現れてさかんにさえずります。時に対立するオス同士の〈歌合戦〉がはじまることもありますが、小声でつぶやくようなひかえめな歌なので、さほど迫力はありません。地鳴きは〈ピッポッ〉と聞こえるかわいらしい声。「ピッポちゃん」という愛称で呼びたくなるほど特徴的です。

♀

頭とおなかが特に
白っぽい個体もいます
銀髪のように見えます

夏羽

スズメ目アトリ科

ギンザンマシコ *Pinicola enucleator sakhalinensis*

漢字名	銀山猿子	中国名	松雀 / 松樹大嘴雀	英名	Pine Grosbeak
サイズ	22センチ	雌雄差	あり	食べもの	種子・木の芽・昆虫類
鳴声	ピュルピュルピョロピョロリ (S) ピュルッ/ピュイッ/フィルル/ヒョロリーン (C)				
国内分布	北海道(繁・冬) 本州以南(冬・稀)	国外分布	ユーラシア・北米		
見られやすさ	ごくまれ	観察適地	②③⑤⑥⑭⑰など		

「銀山」とは雪をかぶった高山のこと。大雪山や日高山脈といった、ハイマツの生えている高い山で子育てをしている「猿子」です。冬になると平地へ下りてきますが、道内産は数が少なく、札幌圏で目にする機会はごくまれです。シベリア方面から日本へ冬越しに渡ってくるものが多い年、いわゆる「当たり年」になると、市街地のナナカマド並木にも数十羽の群れが出現することも。存在感のある、紅や黄色っぽい鳥たちが、一面の雪景色のなか街路樹に群がってわっしわっしと旺盛に木の実を食べ散らかしているようすは圧巻です。クチバシのまわりに果肉を食べカスのようにくっつけたものばかりが目立つのは、果実の中の種子をすりつぶすようにして食べているからなのでしょう。群れの中には、紅いオスとも黄褐色のメスともつかない、淡い色あいをしたものも混じっています。若い個体なのかもしれません。どの個体もそれほど人をおそれるようすがないのですが、それも大陸生まれのおおらかさゆえでしょうか。年によって渡来数が変動するのは、タイガと呼ばれる北方の針葉樹林やツンドラの森の木の実(特にハイマツ)が不作の年だけに大挙して渡ってくるためと考えられています。

スズメ目アトリ科

イスカ *Loxia curvirostra japonica*

漢字名	交喙・交啄	中国名	紅交嘴雀 / 歪嘴雀	英名	Common Crossbill
サイズ	17センチ	雌雄差	あり	食べもの	種子・木の芽

鳴声 チョッチョッピーピーピーピー (S) ギョッ, ギョッ/ピョッ, ピョッ (C)

国内分布 北〜本州中部(繁) 全国(冬)　**国外分布** ユーラシア・北米

見られやすさ ややまれ　**観察適地** ②③⑤⑥⑨⑭⑰

幼鳥は全身に黒い縦斑があります

交差したクチバシが最大の特徴です。ペンチを使うように主食であるマツの球果をこじ開け、種子のみを取り出して食べます。春と秋に通過していくだけだったり、越冬するものが多かったりと、年によって状況に違いがあります。「当たり年」には大群に出逢えます。子育ての時季が決まっていないという変わりもので、まだクチバシの食い違っていない幼鳥が春先に現れたりして驚かされることも。札幌で幼鳥の混じった群れが見られるのは5月の初め頃まででしょうか。成鳥の赤い羽の色は、春が近づくにつれ濃さを増していきます。これはマツの種子に含まれる成分によるもので、年齢ではなく食べたものに影響される、という興味深い報告もあります。

ホオジロ類

スズメ目ホオジロ科

アオジ *Emberiza personata*

漢字名 青鵐　**中国名** 灰頭鵐 / 灰頭黑臉鵐　**英名** Masked Bunting	
アイヌ語名 ムルルンチカプ murur-un-cikap（ハマニンニクのやぶ・にいる・鳥）ほか	
サイズ 15.5センチ　**雌雄差** あり　**食べもの** 種子・果実・昆虫類	
鳴声 チョッ, チーチョッ, チロリ/チョッピー, チーチョイ, ピリリ (S) チッ, チッ/ツッ, ツッ (C)	
国内分布 北〜本州中部（繁）以西（冬）　**国外分布** 北・東・中央アジア	
見られやすさ ごくふつう　**観察適地** ほぼ全域	

眉毛っぽいライン
目立ち加減は個体により差があります

♂♀共に上クチバシは灰褐色。下クチバシはピンク

淡いグレーのえりまき

♂より褐色味があります

黒いライン

ワキ腹の縦斑が目立ちます

♀

背の茶褐色とコントラストをなす、やや緑がかった黄色いおなかを表した名称です。日本の鳥の名はふつうグリーンが「アオ」、ブルーは「ルリ」と称されます。アオバト、オオルリなどがよい例です。「ジ」とは「児」ともいわれ、要するに「緑の小鳥」です。いっぽう英名はオスの「黒い顔」の方に着目したもの。オスは目のまわりが真黒なので、ちょいとこわもて。争うときに頭の毛を逆立てているようすはなかなかの迫力です。ゆったりとしたリズムのほがらかな歌を奏でる美しい声の持ち主なのに、人相的にちょっとソンをしているかも。メスは他のホオジロ類の同性とよく似て、やさしげな顔つき。おなかの黄色味は強めですが、一羽きりでいるとちょっと見分けがつきにくそう。北海道では札幌圏でも住宅街の緑地から高い山まで、明るい森や林を中心にさまざまな環境で暮らしています。ちょっと郊外に出れば、どこででも逢えるといってよいくらいの「おなじみの鳥」です。

ホオジロ類

スズメ目ホオジロ科

クロジ *Emberiza variabilis*

漢字名 黒鵐	**中国名** 灰鵐 / 黒蒿雀　**英名** Grey Bunting
サイズ 17センチ	**雌雄差** あり　**食べもの** 種子・昆虫類
鳴声 ホーイ, チィチィ / ホーイチュチュピー, チチロチィ (S) チッ, チッ / ツッ, ツッ (C)	
国内分布 北〜本州中部(繁) 中部以南(冬)	**国外分布** カムチャツカ・サハリン(繁)
見られやすさ まれ	**観察適地** ②③⑥⑮⑯⑰⑱など

黒というより灰色に近い地味な印象です。しかし光線の加減ですこぶる上品な色あいとなります。自然の色彩の妙を深く味わうことのできる稀有な鳥でしょう。山の森のササやぶを潜行しているため姿を見る機会はあまりなく、初めの音を「ホーイ」と伸ばす特徴的な歌声でその存在に気づくことがほとんど。まれに枝先ややぶの上にひょっこり出てきてさえずります。それ以外に観察できるチャンスは、水浴びの時くらいのものでしょうか。春と秋の移動の際には平地の林にも姿を見せることがありますが、やはり地上近くでひっそりと採食しています。

森の湧水地で水浴びをします

ホオジロ類

スズメ目ホオジロ科

ホオジロ *Emberiza cioides ciopsis*

漢字名	頬白	中国名	三道眉草鵐 / 大白眉	英名	Meadow Bunting
サイズ	16.5センチ	雌雄差	あり	食べもの	種子・昆虫類
鳴声	チョッピチュピーチュー，ツィチョチョツリィー（S）チチッ，チチチッ，ツチチッ（C）				
国内分布	北海道～屋久島	国外分布	北アジア・東アジア		
見られやすさ	ふつう	観察適地	⑧⑨⑩⑪⑬⑭⑰⑲⑳㉑など		

近年では越冬個体も増えています

川べりのまばらに林のある草地や農耕地の周辺など開けた環境で見られます。森には入らず、また広大な草地にも現れません。イネ科の植物の種子を主に採食し、よく地上に下りて餌を探しています。主に春に現れる夏鳥ですが、近年では越冬するものも増えてきました。オスは木や杭のてっぺんで胸を張り、ノドの白い羽毛をふくらませつつ大きく口を開いて繊細なさえずりを響かせます。ディスプレイ（誇示行動）では、体を低くした姿勢から黒い尾羽を持ち上げ、大きく扇形に開いて両側の白い部分をアピールします。飛び立つ際、この尾羽の白ラインがよく目立つのはホオジロ類の特徴のひとつ。きっと信号的な役割も果たしているのでしょう。

スズメ目ホオジロ科

カシラダカ *Emberiza rustica latifascia*

漢字名 頭高 **中国名** 田鵐 / 花眉子 **英名** Rustic Bunting

サイズ 15.5センチ **雌雄差** あり **食べもの** 種子・昆虫類

鳴声 ピピピチーチュルリチュルル チィーチュリリ(S) チョッ, チョッ / フチッ, フチッ(C)

国内分布 北海道〜九州 **国外分布** ユーラシア高緯度地域(繁) 中国東北部(冬)

見られやすさ ややまれ **観察適地** ③⑤⑥⑧⑨⑩⑫⑬⑰㉑など

♂♀共に頭の羽毛をよく立てます

眉状のライン

♀ 冬羽 または ♂ 若鳥

ミヤマホオジロ♀や
ホオジロ♀によく似ています

黒い線が
あります

おなかは白いです

頭の羽毛の黒味が強い
夏は真っ黒になります

頬のまわりの黒い線が
くっきり。夏は真っ黒

♂♀共に腰は赤っぽい

胸の帯模様が
くっきり

胸からワキの
縦斑の色が濃い

♂ 冬羽

春と秋に姿を見せるほか、まれに越冬するものもいます。小さな群れですごし、防風林や河川敷の林、草地などでひっそりと採食しています。「頭高」という名は、文字通り頭の羽毛（冠羽(かんう)と呼ばれます）をよく逆立てるためですが、とてもひかえめな小鳥。決して「頭(ず)が高い」(つまり横柄な)鳥などではありません。渡去前には夏羽となり、顔が真黒になったオスのさえずりが春風に乗って聴こえてくることもあります。

スズメ目ホオジロ科

ミヤマホオジロ *Emberiza elegans elegans*

漢字名 深山頬白		**中国名** 黄喉鵐 / 黄眉子		**英名** Yellow-throated Bunting	

サイズ 16センチ　**雌雄差** あり　**食べもの** 種子・昆虫類

鳴声 ピチュルピピチュルピチュルチュルチチュルリ (S) チッ, チッ (C)

国内分布 ほぼ全国 (主に西日本)　**国外分布** 極東アジア

見られやすさ まれ　**観察適地** ②③⑤⑥⑨⑬⑭⑰など

数の少ない冬鳥で、雪の少ない川べりの草地や農地などで見られるほか、まれに人家の庭先へ現れることもあります。群れには入らず、ほとんどひとり暮らし。オスの麗しい姿は学名「エレガントなホオジロ」そのもの。メスはカシラダカやホオジロ、アオジやクロジのメスたちに共通する和風の装いです。頭の形が明確な三角形になるのが特徴とされますが、状態によってはカシラダカそっくりに見えることも。

スズメ目ホオジロ科

夏鳥

ホオアカ *Emberiza fucata fucata*

漢字名 頬赤	中国名 栗耳鵐 / 赤胸鵐	英名 Chestnut-eared Bunting
サイズ 16センチ	雌雄差 ややあり	食べもの 種子・昆虫類
鳴声 チョッチュピチョッ, チュッピッ / チョッチン, チチョチュビ (S) チッ, チッ (C)		
国内分布 北海道〜九州	国外分布 北・東・中央アジア	
見られやすさ ふつう	観察適地 ⑦⑧⑩⑪㉑など	

春、川べりの草地などへ渡来し、ちょっと元気のないホオジロといった感じの、あまり抑揚のないさえずりを静かに風に乗せています。巣づくりも抱卵もメスだけで行い、その間オスは低木の上などでつぶやくようにさえずっています。「頬紅」がトレードマークなのかと思いきや、求愛やオス同士の対立では、向かい合ってノドの白さを誇示しあっています。やさしげな顔つきとはうらはらに、飛び上がって空中で蹴りを入れあう激しい一面も。ふだんは地上で草の種子などを採食していますが、ヒナを育てるための餌はほとんど昆虫です。

◉若鳥

スズメ目ホオジロ科

夏鳥

オオジュリン *Emberiza schoeniclus pyrrhulina*

漢字名	大寿林	中国名	蘆鵐	英名	Common Reed Bunting
サイズ	16センチ	雄雌差	あり（夏羽）ややあり（冬羽）	食べもの	種子・昆虫類
鳴声	チュイッ，チッ，ジュイーン/ジュッ，チィーン（S）チュイーン/チッチッ（C）				
国内分布	北海道～東北（繁）本州中部以南（冬）	国外分布	北亜・ユーラシア西部		
見られやすさ	ややまれ	観察適地	⑦⑧⑩⑪㉑など		

♂ 夏羽

胸の黒い縦斑が
目立っています

♀の顔には眉状の
白いラインが目立ちます
ノドの黒線は細めです

♀

◉若鳥

春、河川敷の湿った草地や湖沼のヨシ原などに渡来します。オスの夏羽は真っ黒な頭が特徴。さえずりの時などしばしば逆立てているようにも見え、遠目にもよく目立つのですが、オス同士の争いの際には頭の羽毛ではなく、えりまきのようなうなじの白い部分をケバ立たせて誇示します。あわせて尾羽も大きく開き、両外側の白い部分を強調しています。どうやらホオジロ類のディスプレイでは、黒よりも白のアピール力の方が強いようです。冬羽のオスは、メスに近い色に変化して別種の鳥のように見えます。

♂ 冬羽

ヒバリ類

スズメ目ヒバリ科

ヒバリ *Alauda arvensis japonica*

漢字名 雲雀　**中国名** 雲雀 / 告天知　**英名** Eurasian Skylark

アイヌ語名 リキンチリ rikin-ciri（高く上がる・鳥）ほか

サイズ 16センチ　**雌雄差** なし　**食べもの** 種子・昆虫類

鳴声 ピィーチブ, ピチチチュクチュク, チーチーチーチー, ピチピチ（S）ビュルッ, ビュルッ（C）

国内分布 北海道〜九州　**国外分布** ユーラシア・北アフリカ

見られやすさ ふつう　**観察適地** ⑦⑧⑩⑪⑰㉑など

息長く歌いながら空翔ける姿が「日晴り」、雲のかなたに消えてしまいそうなほど高く昇っていく姿が「雲雀」。鳴きながら空へ飛びあがる姿は「揚げ雲雀」。いずれも春の到来を告げる風物詩として親しまれています。空中でのさえずりが多いのは巣づくりの頃まで。以降は地上で鳴く方が多くなります。足の後指の爪だけが異常に長いという特徴があり、砂に埋もれずに歩くための「かんじき」のような役割を果たしているといわれますが、実際のところはどうなのでしょうか。子育てを終えると雪の少ない地方へ南下していきます。

スズメ目セキレイ科

漢字名 便追	**中国名** 木鷚 **英名** Olive-backed Pipit
サイズ 15センチ	**雌雄差** なし **食べもの** 昆虫類・種子
鳴声	ツイーチョイチョイ, ヅイヅイヅイ/チーツツチーツツ, スピスピスピ (S) ヅィーッ (C)
国内分布 北〜四(繁) 東北以南(冬)	**国外分布** ユーラシア東部(繁) 東南亜(冬)
見られやすさ ややまれ	**観察適地** ①②③⑤⑥⑨⑫⑬⑭⑰⑲⑳㉑など

眉ラインは明瞭
上に黒い縁取り

翼に白いライン

胸からおなかは白い
黒く太い縦斑があり
ワキは黄色味を帯びます

尾羽を上下に振ります

CHECK! 頬に白斑
下に黒点

背は緑褐色
はっきりしない
黒い縦斑あり

脚はピンク色

淡い黄褐色の
羽の縁取り

夏鳥として北海道に飛来します。海岸の湿原から高山のハイマツ帯まで広く見られる鳥ですが、札幌の平地では初夏と秋に出逢える旅鳥です。公園の芝生広場や下草の少ない明るい林床など、地上を歩いて採食しているところをよく目にします。驚くと飛び上がり、木の横枝にとまります。小型ツグミを思わせる体色&スタイルながら、尾羽を頻繁に振っているあたりはやはりセキレイ類。奇妙な名前はヒバリに似た複雑な節回しのさえずりを〈ビンビンズイズイ〉と聞きなしたものといわれます。

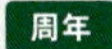

スズメ目セキレイ科

セグロセキレイ *Motacilla grandis*

漢字名	背黒鶺鴒	中国名	日本鶺鴒	英名	Japanese Wagtail
サイズ	21センチ	雌雄差	ほぼなし	食べもの	昆虫類

鳴声　ツツチィーチィージョイジョイ（S）ヂヂッ, ヂヂッ（C）

国内分布　北海道〜九州　国外分布　朝鮮半島・台湾・沿海州〜中国北部沿岸

見られやすさ　まれ　観察適地　⑭⑮⑯など

玉石のゴロゴロした中洲が広がるような、川の中流から上流域に暮らします。ほとんど水辺から離れることがなく、ハクセキレイ（次項）のように市街地や農耕地へ出てくることはまずありません。また地鳴きが濁り、顔のデザインも異なります。ただし個体によりバリエーションはまちまち。時に見分けがつきにくいものも。生息数は多くありません。多くは夏鳥ですが、札幌では豊平川などでわずかながら越冬する個体も見られます。分布は極東アジアに限られ、日本とその周辺だけで見られる鳥です。

スズメ目セキレイ科

ハクセキレイ *Motacilla alba lugens*

漢字名 白鶺鴒　**中国名** 白鶺鴒　**英名** White Wagtail	
アイヌ語名 オチウチリ ociw-cir（交尾する・鳥）ほか	
サイズ 21センチ　**雌雄差** あり　**食べもの** 昆虫類	
鳴声 チュイリー，チッ，チッ，チュイリー（S）チチッ，チチッ/チュチン，チュチン（C）	
国内分布 北〜本州中部（繁）全国（冬）　**国外分布** ユーラシア（繁）東南亜・印（冬）	
見られやすさ ごくふつう　**観察適地** ほぼ全域	

チチッと澄んだ声

CHECK! 白い顔に黒いアイライン

背は光沢のある美しい黒

両側が白の黒い尾羽を
常に上下に振っています

胸の黒い紋様には
光沢があります

おなかは白いです

夏羽

水辺のみならず農耕地や市街地、工業団地など、いろいろなところに姿を見せます。建築物のすきまや換気扇の中、軒下やベランダの隅、植木鉢など、人工物を利用した旺盛な子育てぶりで、いまや街の鳥としてスズメやカラスと肩を並べるほど。晩夏から翌春にかけての夜間には群れをなし、街路樹や橋げた、ビルの看板の陰などに集まって眠り、近年では越冬するものも増加中。地上を活発に歩き回り、頻繁に跳び上がっては昆虫を捕食します。求愛期には艶のある黒いノドをふくらませるディスプレイでさかんにメスにアピールしていたオスも、冬はすっかり落ち着いた衣装に。全体に灰色味の強い若鳥には、顔が黄色味を帯びるものもいて、別の鳥のように見えます。

セキレイ類

スズメ目セキレイ科

夏鳥

キセキレイ *Motacilla cinerea cinerea*

漢字名	黄鶺鴒　**中国名** 灰鶺鴒　**英名** Grey Wagtail
アイヌ語名	オチウチㇼ ociw-cir（交尾する・鳥）ほか
サイズ	20センチ　**雄雌差** あり（夏羽）なし（冬羽）　**食べもの** 昆虫類
鳴声	チチチッ，チチチッ/ツィツィツィ/チヨチヨチヨ(S) チチン，チチン/ツィーッ，ツィーッ(C)
国内分布	北海道〜九州　**国外分布** ユーラシア・アフリカ
見られやすさ	ふつう　**観察適地** ②④⑥⑬⑭⑮⑯⑰⑱など

♂ 夏羽

目の上に眉状の白ライン
口元にヒゲ状の白ラインがあります

頭から背はきれいなグレー

翼に白い紋が目立ちます

CHECK! ♂夏羽はノドの黒い部分が目立ちます

おなかは全体に黄色
ワキに白いところあり

下腹部もあざやかな黄色
腰も黄色いです

尾羽を開くと両外側の
白ラインが目立ちます

洗練されたデザインとスタイル。まさに水辺の貴公子です。「渓流の鳥」として紹介されることが多いものの、札幌市街の中島公園でも子育てをしていますし、奥深い山中の、いったいどこに水場があるのだろうかと思うような登山道や林道で不意に出逢ったりもします。すらりとした長い尾を常にせわしなく振っているので、貴公子にしてはいささか落ち着きがないようにも思えます。しかしよく観ていると尾羽だけをゆすっているのではなく、脚を軸に体全体を上下に揺らしつつ、頭だけが動いていないのです。意外と難易度の高い所作なのかもしれません。白波を立てて流れる川中の石の上などによくとまっています。ノドの黒さを強調するようなポーズをとり、金属的な高音でひとしきり鳴いていたオスがパッと飛び上がって浮遊昆虫のカゲロウをパクリ。元いた場所にひらりと着地するやいなや、すぐにまた飛び上がり、波を描くようにして飛んでいきました。きっと川向こうの岩壁でヒナを育てているのでしょう。

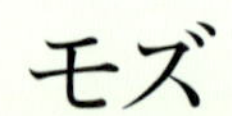

モズ類

スズメ目モズ科

モズ *Lanius bucephalus bucephalus*

漢字名	百舌 / 鵙　　中国名　牛頭伯勞 / 紅頭伯勞　　英名　Bull-headed Shrike
サイズ	20センチ　　雌雄差　あり　　食べもの　昆虫・両生爬虫類・鳥類・哺乳類・果実
鳴声	キィー，キィキィキィキィキィ（S=高鳴）キチキチキチ/ギチギチギチ/ギュン，ギュン（C）
国内分布	ほぼ全国　　国外分布　サハリン・沿海州南部・中国北東部・朝鮮半島
見られやすさ	ふつう　　観察適地　ほぼ全域

獲物を捕えては串刺しにする「はやにえ」。他の鳥の歌まねが得意ゆえの「百舌」。樹頂で甲高い声を響かせナワバリ宣言を行う秋の「高鳴き」。いずれもモズの生態キーワードです。秋には南下するため、札幌では「高鳴き」を耳にする機会は少ないのですが、まれに秋の空気を引き裂くように鳴く個体を見ることも。尾をくるくる回したり、ゆっくり上下させたりしつつ捕食対象を探します。春先、オスがメスに餌をプレゼントして求愛すると、メスは羽をふるわせてそれに応えます。「小さな猛禽」の愛らしい姿です。

スズメ目ヒヨドリ科

ヒヨドリ *Hypsipetes amaurotis amaurotis*

漢字名 鵯　**中国名** 栗耳短脚鵯 / 棕耳鵯　**英名** Brown-eared Bulbul

サイズ 27センチ　**雌雄差** なし　**食べもの** 昆虫類・果実・種子・樹液・花蜜

鳴声 ピィーヨ, ピィーヨ/ピィーッ, ピィーッ/ピヨピヨピヨ/ピリャピリャ/ピョロピョロ

国内分布 北海道〜九州　**国外分布** 朝鮮半島南部・台湾・フィリピン北部

見られやすさ ごくふつう　**観察適地** ほぼ全域

ヒヨドリ

なじみの存在ながら「卑しい鳥」などと書かれてしまうのは、そのけたたましさゆえでしょうか。かつては森の鳥でしたが、50年ほど前から都市へ進出してきました。いまではビル街にも現れ、街路樹や庭木でも子育てしています。畑の野菜をついばみ、花も虫もトカゲもパン屑もOKという健啖ぶりで、海岸の林から山奥の森までカバー。集団で海を渡ることでも知られます。それでも年中見られるのはなぜでしょう。居着き型、冬に南下・春に北上型、春と秋の通過型、北方から渡ってくる越冬型と、きっとさまざまなタイプが混在しているためではないかと思われます。

ヒヨドリ

ホバリング（停空飛翔）をしつつ
器用にカエデの樹液を舐めています
フライングキャッチも得意

CHECK! ワキにオレンジ色が
隠されています！

花の蜜が大好き
桜の時季にはクチバシや顔を
花粉で黄色くしています

いつもカン高い声で鳴いています
時どき他の鳥や動物の鳴き真似もします

背のグレーは光の状態や
当たり方で印象が変わります

相手を威嚇（いかく）する時の鳴き方
身を低くかがめて両翼を下げ
恐竜のような顔つきをします

周年

スズメ目ムクドリ科

ムクドリ *Spodiopsar cineraceus*

漢字名 椋鳥	中国名 灰椋鳥 / 竹雀 英名 White-cheeked Starling
アイヌ語名 シケレペエチリ sikerpe-e-cir（キハダの果実・食う・鳥）	
サイズ 24センチ 雌雄差 ややあり	食べもの 雑食性
鳴声 キュルキュル/ギュルギュル/ギギーッ/ギャーッ/キィーッチッチッ	
国内分布 北海道〜九州	国外分布 北アジア・東アジア
見られやすさ ごくふつう	観察適地 ①④⑤⑨⑪⑭⑰⑳㉑など

♂

CHECK! オレンジ色の長いクチバシ
先端がわずかに黒いです

頭の黒さの濃淡や範囲
には個体差があります

地上にいるとわかりませんが
飛ぶと腰や翼内側の裏面、尾羽先
端にある白い部分がよく目立ちます

黒斑がちりばめられた
白い頬や額の模様には
個体差があります

♂はノドから胸にかけての
黒が濃い傾向にあります

黒い翼に
白い部分があります

よく地上に下りて採食しています
飛ぶ時はしばしば翼を広げて滑空します

ムクドリ類

♀は全体に灰色味が強く
頭の黒味も淡いとされます
灰色味の強い個体ですが
顔や頭の黒味が強めです
♂若鳥のように思われます
♂ 若鳥？
脚は♂♀共にオレンジ色
♂
全体に黒味が強く頬の白さも目立たない個体です
それでも頭と体には明暗差があります

頭は黒頭巾をかぶったよう
頬と額の白い部分が広く
よく目立つ個体です
頭と体の明暗差も顕著です
年齢を重ねると白色部が
大きくなるといわれます
おしりの部分は白い
♂

どこかあか抜けない、土くさい印象があります。草地や農地をとことこ歩きながら土の中にクチバシを差し込み、ミミズや昆虫を食べているようすがそう思わせるのかも。初夏には木の実も食べる雑食性です。北海道では夏鳥であることが多いのですが、札幌ではビルの屋上などをねぐらにして越冬しています。都市環境に適応して増えている鳥のひとつで、住宅地や公園、防風林、果樹園、ゴルフ場など人の生活圏内で暮らしています。山地の森では見られません。秋から冬は大きな群れをつくって過ごし、春になるとペアをつくって分散、樹洞やキツツキ類の古巣のほか、建造物や石垣のすきまなどを利用して子育てします。ヒナが巣立つとまたすぐに群れをつくり、色味がまだあいまいな若鳥たちがこぞって居並んでいるようすは、いかにもムクドリらしいながめです。自分の卵を、別のペアの巣にこっそり産みつけてしらばっくれている、大変ムセキニンな親鳥もいるのですが、これは「種内托卵（しゅないたくらん）」と呼ばれる行動です。

電線にとまる群れ
単独でいることはほとんどなく
いつも群れで暮らしています

ムクドリ類

スズメ目ムクドリ科

夏鳥

コムクドリ *Agropsar philippensis*

漢字名 小椋鳥	中国名 紫背椋鳥 英名 Chestnut-cheeked Starling
アイヌ語名	シケレペエチリ sikerpe-e-cir（キハダの果実・食う・鳥）
サイズ 19センチ	雌雄差 あり 食べもの 雑食性
鳴声	ピーキュリッ, チィチョーキュルキュルギィー, ジョイジョイ（S）キュルッ/ジェー（C）
国内分布 北〜本州中部（繁）	国外分布 南千島・サハリン南部（繁）東南亜（冬）
見られやすさ ふつう	観察適地 ①②③④⑤⑥⑨⑭⑰⑲⑳など

CHECK! ♂は白い頭に赤茶色の頬紅がチャームポイント

顔はコリラックマみたいでかわいい

♀は超地味で全身が灰色っぽい褐色。ただしまれに♂っぽいデザインの♀もいます

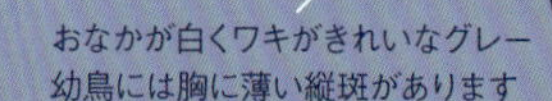

♂

♀

さえずりは複雑な節回しでクロツグミに似ることもあります
争い時はギャーギャーとやかましく鳴きます

市街や住宅地の緑地、防風林、河畔林などで見られます。桜の時季に姿を見せ、またその実を好むことからムクドリと共に「桜鳥」と呼ばれてきました（実際には開花前に渡来しています）。満開の桜でよく採食しています。吸蜜より、花に集まる虫が目当てのよう。子育てには樹洞やキツツキの古巣を利用し、優良物件をめぐるオス同士もしくは他種との争奪戦がおこります。巣穴を確保したものは、他の鳥の鳴きまねも交える複雑なさえずりでメスにアピール。9月には東南アジアへ渡去します。かつては大群で果樹園を襲撃、甚大な被害を与えたこともありました。

スズメ目ツグミ科

ツグミ *Turdus eunomus*

漢字名 鶫　**中国名** 斑鶇　**英名** Dusky Thrush

サイズ 24センチ　**雄雌差** ほぼなし（♀淡）　**食べもの** 昆虫類・ミミズ・果実

鳴声 ケケッ/キョッ, キョッ/クワッ, クワッ/ツリーッキッキツ (C) ピョロン, ピョロン, キョロロ (S)

国内分布 ほぼ全国　**国外分布** ロシア極東（繁）中国南部・台湾・インド（冬）

見られやすさ ごくふつう　**観察適地** ほぼ全域

羽色の濃淡のコントラストが
♂の成鳥では明瞭とされます

CHECK! くっきり目立つクリーム色
の大きな眉状の太いライン

長いクチバシ
下側が黄色い

頬に黒い斑紋

ナナカマドの実が好物
よく食べにやってきます

白いノドに黒い斑点が
筋模様に見えます

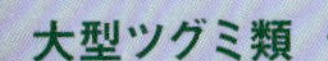

頬の黒斑が淡い個体

胸からワキに見られるウロコ状の黒斑の
密度や形状にはかなり個体差があります
おなか中央から下腹部の白が目立ちます

秋になるとシベリアやカムチャツカから渡ってきます。住宅地、公園、農地、防風林、河川敷、低山と幅広い環境で見られ、初夏5月頃まで長く滞在します。脚力が強いのがツグミ類の特徴。地上でよく採食しています。早足で数歩ばかりタタタと進んでは、突然ピタリと立ち止まり、また歩き出すパターンをくりかえします。胸を張って静止した姿勢は置物のよう。〈ケケッ〉という響く声で、飛翔中にもよく鳴きます。「口をつぐむ」に由来する名前ともされますが、鳴声は頻繁に耳にします。美しいさえずりをぜひ聴いてみたいと思った人が名づけたのでしょうか。

スズメ目ツグミ科

トラツグミ *Zoothera aurea*

漢字名	虎鶫　中国名　懐氏虎鶫／白氏地鶫　英名　White's Thrush
アイヌ語名	シプイマウクシ sipuy-maw-kus（肛門・風・通る）
サイズ	29.5センチ　雌雄差　なし　食べもの　昆虫類・果実
鳴声	ヒーン, ヒョー, チーン（S）グワッ/シーッ/ツィーッ（C）
国内分布	ほぼ全国　国外分布　ロシア極東（繁）中国南部・台湾・インド（冬）
見られやすさ	ややまれ　観察適地　②③⑥⑫⑬⑭⑮⑯⑰⑱など

主に夜鳴く鳥のため「鵺（ヌエ）」の別称があります。とても鳥の歌とは思えぬ独特のさえずりです。高く金属的な音色で、一声ずつ区切って鳴き、高音と低音を交互にくり返すのは、ペアの鳴き交わしとも、オス同士による鳴き合いとも。1羽が高低2音を奏でることもあり、それが鳴きながら移動すると声が近くなったり遠くなったりします。曇天や雨天、濃霧時には日中も鳴きます。大好物はミミズ。よく地上で採食しています。時どき「足踏み」らしきことをして、落葉の下の昆虫を追い出すことも。秋には樹上で木の実も食べます。

夏鳥ですが少数が越冬もしています

大型ツグミ類

スズメ目ツグミ科

夏鳥

アカハラ *Turdus chrysolaus chrysolaus*

漢字名	赤腹	中国名	赤胸鶇 / 赤腹鶇	英名	Brown-headed Thrush
サイズ	24センチ	雄雌差	ややあり	食べもの	昆虫類・果実

鳴声　キョロン, キョロン, ツィー (S) ツィー/キョッ/クワッ, クワッ (C)

国内分布　北海道〜本州中部 (繁)　　国外分布　千島・サハリン (繁)

見られやすさ　ふつう　　観察適地　②③⑥⑨⑫⑬⑭⑮⑯⑰⑱など

♂

カラマツ林や耕地の防風林などでよく出逢う、おなかが朱色のツグミ。高らかに響く3音節のさえずりはシンプルで、初夏の鳥の歌でも耳になじみやすいものでしょう。1羽きりでほのぼのと鳴いていたり、数羽が聖堂の音楽会のようにコーラスしたり。朝もやのなかで聴く歌は、まさに高原のしらべ。昆虫やミミズをもとめて公園の広場や林道など開けた場所に出てくるほか、秋にはキハダやミズキなど木の実にも目がないようす。両ワキのオレンジをうんとふくらませたオスのディスプレイはなかなかワイルド。

大型ツグミ類

亜種 オオアカハラ
T.c.orii

顔の黒味が濃く、黒頭巾を被っているように見えます

顔黒のため目の周りやクチバシの黄色とのコントラストが明瞭です

おしりの部分が白く、黒い斑点があるのは両亜種・♂♀共通の特徴です

やけに顔の黒いアカハラを見かけることがあります。千島列島で夏を過ごし、日本へ越冬に渡ってくる亜種オオアカハラかもしれません。札幌では、初夏と秋に通過個体が現れ、公園の芝生広場などでも観察できます。まぎらわしいのは、頭から背が黒く、おなかのオレンジの幅が広くて色も濃いクロツグミ[p96]のメス（もしくはメスに似た色彩の若いオス）です。一見するとオオアカハラのようにも見えてしまうので注意を。

類似種 クロツグミ♀黒化タイプ
（or ♂若鳥の♀タイプ）

旅鳥

スズメ目ツグミ科

マミチャジナイ *Turdus obscurus*

漢字名	眉茶鶫	中国名	白眉鶇	英名	Eyebrowed Thrush
サイズ	22センチ	雌雄差	あり	食べもの	昆虫類・果実
鳴声	キョロロ, チリチリィー (S) ヴィー/ツィー/クワッ (C)				
国内分布	全国(西南で越冬)	国外分布	中国北東・極東ロシア(繁) 東南亜(冬)		
見られやすさ	ややまれ	観察適地	②③⑤⑥⑨⑬⑭⑮⑰など		

「眉ラインの明瞭なアカハラ」と混同されがちなそっくりさん。春と秋に通過個体が現れる旅鳥です。「鶫」という字は「シナイ」と読むツグミ類の古称。「眉のある茶色いツグミ」の意で、たいへん発音しにくい名称ですが、かえってナニソレという感じで覚えやすいかもしれません。公園の林や防風林などで短かく鋭い声を発しつつ、木の実を食べながら小さな群れで梢から梢に移り渡っていきます。年によって飛来数に変化があるようです。ロシア極東で子育てし、東南アジアで越冬します。

大型ツグミ類

スズメ目ツグミ科

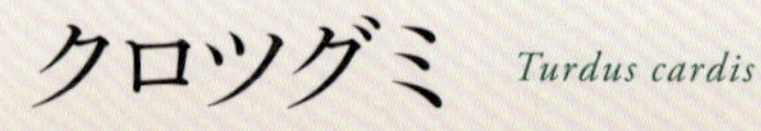

クロツグミ *Turdus cardis*

漢字名 黒鶫　**中国名** 烏灰鶇 / 烏灰鶇　**英名** Japanese Thrush

アイヌ語名 イタカチャ itak-aca（ものいう・小父）

サイズ 22センチ　**雌雄差** あり　**食べもの** 昆虫類・果実

鳴声 キョロィ，キーコ，キョコキョコキョコ (S) ツィー / キョキョキョ (C)

国内分布 北海道〜九州　**国外分布** 中国中部（繁）中国南部・東南アジア（冬）

見られやすさ ふつう　**観察適地** ②③⑥⑭⑮⑯⑰⑱⑲⑳など

♂

CHECK! 顔が真黒なので目のまわりの黄色いリングがよくわかります

クチバシは黄色

頭から背中側にかけての美しい黒が特徴です。角度や光の当たり方によってやや灰色がかって見えます

顔からノド、胸までの黒味には艶があります。おなかの白との境がくっきり明瞭です

白いおなかには三角形の黒い大きな斑点がちりばめられています

美声の鳥として古くから知られてきました。ほがらかな歌声を森に響かせ、ソロ演奏でもにぎやかに感じられるほど複雑多彩かつリズミカルな音色です。折々に他の鳥の鳴きまねも織り込む芸の細かさも特徴で、もはや音楽の領域。独身のオスは樹頂などを舞台にフル音量でさえずり、既婚者は巣のある林内で静かに鳴きます。世界的な分布は狭く、主に日本の山地で子育てをしている夏の鳥。地上でミミズや昆虫などを採食しています。

小型ツグミ類

スズメ目ヒタキ科

夏鳥

コマドリ *Larvivora akahige akahige*

漢字名	駒鳥	中国名	日本歌鴝夜鶯	英名	Japanese Robin
サイズ	14センチ	雄雌差	ややあり	食べもの	昆虫類・果実
鳴声	ヒン，カラカラカラ(S) ツン，ツン/クッ，クッ(C)				
国内分布	北海道〜九州	国外分布	サハリン・南千島(繁) 中国南部(冬)		
見られやすさ	まれ	観察適地	⑤⑥⑫⑬⑭⑮⑯⑰⑱など		

CHECK! 尾羽をピンと上げた姿勢をよくとります。ディスプレイの際には扇形に大きく開きます

有名なロビン（ヨーロッパコマドリ）と同じ仲間。身を反らせ、尾羽を扇形に開き、大きな声でいななくようにさえずることから「駒」の名が付けられました。「日本三鳴鳥」のひとつにも上げられ、愛鳥家の間では古くからよく知られている小鳥です。札幌圏で、その張りのある歌声を味わってみたいと思ったら、彼らが子育てをしている山地の針葉樹林へ参らねばなりません。雄姿もあわせて観賞したいと思うならば、深い森の中でも少し見通しのきく場所を選んで、早朝に木々の梢あたりを探してみなくてはならないでしょう。樹頂でさえずるのは夜明けだけ。日中はササの繁みの下を潜行していて、歌の舞台は主にやぶの中の朽木や倒木の上など。声はすれども出逢えるチャンスはまれなのです。かと思えば、登山道へひょっこり姿を現し、まるで道案内するかのようにぴょんぴょん跳ねつつ先行していく姿を拝めることも。渡りの季節には平地の林にも姿を見せ、春には気まぐれに短くさえずってみせたりもします。

スズメ目ヒタキ科

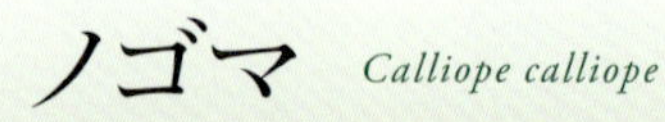

ノゴマ *Calliope calliope*

漢字名	野駒	中国名	紅喉歌鴝 / 红点颏	英名	Siberian Rubythroat
サイズ	16センチ	雌雄差	あり	食べもの	昆虫類・ミミズ・果実
鳴声	キョロキリ，チョロリ，ヒーチョリチリー，チュイチュイ(S) カッ，カッ / グッ / ヒュー (C)				
国内分布	北海道(繁) 南西諸島(冬)	国外分布	北亜・東亜(繁) 東南亜(冬)		
見られやすさ	ふつう	観察適地	⑦⑧⑩⑪㉑など		

♂

CHECK! イチバンの特徴はなんといっても鮮やかなノドの朱色です！

目先が黒く、その上下に白いラインがあります

カオとノド以外は全身褐色

コマドリと同じように尾羽を立てたスタイルをよくとります

赤色部分を縁取る黒い線には個体により濃淡があります

脚は長くて丈夫

「野の駒鳥」で、スタイルは確かにコマドリ風ですが、色あいや歌声に共通点はありません。海岸の草地から高い山のハイマツ林まで、驚くほど幅広い環境に適応している一方、国内での繁殖地はほぼ北海道に限られ、本州では春と秋、越冬地である沖縄や東南アジアとの移動の途上で見られるのみです。札幌市街地周辺では、河川敷や低木林がまばらにある草地などで子育てしており、渡りの季節には住宅地の庭にも姿を見せます。さえずりの際、深紅のノドがきわだちます。ノドアカ(喉赤)、ヒノマル(日の丸)、ノゴドリ(喉紅鳥)などの異名を持ち、英名までシベリアン・ルビースロート。学名カリオペーはギリシャ神話に登場する文芸の女神の名で「美声」を意味します。涼やかで複雑なさえずりを讃えたものでしょう。

小型ツグミ類

スズメ目ヒタキ科

夏鳥

ノビタキ *Saxicola stejnegeri*

漢字名	野鶲	中国名	黑喉石䳭 / 黑喉鴝	英名	Amur Stonechat
サイズ	13センチ	雌雄差	あり	食べもの	昆虫類
鳴声	ヒーヒョロリヒー / ヒーチョヒチー (S) ジャッ, ジャッ / ヒッ, ヒッ (C)				
国内分布	北~本州中部	国外分布	ユーラシア・アフリカ(繁) 東南亜・印(冬)		
見られやすさ	ふつう	観察適地	⑦⑧⑩⑪㉑など		

CHECK! 白いおなかにオレンジ色の部分があります。個体によって形状にややちがいがあり面積の広い狭いもあります

♂ 夏羽

低木がまばらに生えた河川敷、ススキに覆われた空き地などの開けた草地を好み、突き出した草の枯茎や低木の枝先に体をタテ気味にしてとまり、尾羽を上下に振りつつ、のどかな声でさえずっています。しばしば飛びながら歌うこともあり、また夜間にもよくさえずります。空中や地上に昆虫類を見つけるとパッと飛び立って捕え、また元の位置に戻るフライングキャッチを頻繁に行うので、夏のオスは白黒のデザインもあってよく目立ちます。地上によく下りますが、やぶの中を潜行することはほとんどありません。

小型ツグミ類

黒褐色の頭頂に
黒い縦斑が出ます

顔には黒味があり夏羽の
おもかげを残します

背と羽に黒い縦斑
が出ます

CHECK! 胸からおなか全体が淡い
オレンジ色になります

♂ 冬羽

成鳥は子育ての終わる盛夏から初秋にかけ、全身の羽毛が生え変わります。メスはそれほどでもありませんが、オスの変化はかなり劇的です。頭の黒は顔のまわりにだけ残り、逆に胸のオレンジ色はおなか全体に広がります。春が近づくと冬の羽毛が擦り切れることで夏の黒い羽毛となります。つまり羽を新しく入れ替える換羽は渡りの前に行い、色彩が重要となる求愛期には摩耗による衣装替えを行っているというわけです。

スズメ目ヒタキ科

ルリビタキ *Tarsiger cyanurus*

漢字名	瑠璃鶲	中国名	紅脇藍尾鴝 / 藍尾鴝	英名	Red-flanked Bushrobin
サイズ	14センチ	雌雄差	あり	食べもの	昆虫類・果実
鳴声	ヒヒョロリ，ヒーヒョロロロリッ (S) ヒッ，ヒッ/カッ，カッ (C)				
国内分布	北〜四(繁) 本州中部以南(冬)	国外分布	ユーラシア(繁) 東南アジア(冬)		
見られやすさ	ややまれ	観察適地	②③⑥⑫⑬⑭⑮⑯⑰⑱など		

♂

眉ラインは白。目先は黒くきりりとしまった印象

頭から背にかけて体の上面が鮮やかなブルー。オオルリやコルリともちがうタイプの青です

ノドから胸にかけては真っ白

この部分にも少し青が見えます

この部分の青の光沢が特に強い

CHECK! ♂のワキにもオレンジの部分があります。青い部分とのコントラストがきれい。ディスプレイのときにはこの羽毛を大きくケバ立たせます

小型ツグミ類

日陰でも鮮やかに輝くラピスラズリ（瑠璃）。オオルリ、コルリと並ぶ「瑠璃三鳥」です。英名「赤いワキ腹を持ったやぶのロビン」の通り、愛らしいオレンジ色の羽毛も目立ちます。オスはディスプレイの際、この羽毛をふくらませ、ケバ立たせるようにして誇示します。メスにもあるのは、なにかのサインに使っているのかもしれません。オスのりりしい眉の形状には個体差があり、白や青、中途で切れているものなどさまざまです。

♀
♀のワキのオレンジは♂より淡いと
されますが、ちょっとわかりにくいかも

♀と♂若鳥の頭から背は
明るい褐色です

CHECK! 腰から尾羽は
♂♀共に青い

目の周りの白いリングは
♀タイプの方がわかりやすい

♂ 若鳥

このあたりの部分に青味が
見えはじめているので♂若鳥

若いオスの外見はメスにそっくり。でも、ちゃんと結婚することができます。青い羽を持たない若いオスは、どうやって自分の魅力をメスにアピールしているのでしょう。カッコよさよりもかわいらしさで勝負し、年上の女房に見そめられるのかもしれません。巣立ち後、2年ほどの間をメスと同じ羽色で過ごすのは「ワタシまだ若いんです、どうぞおてやわらかに」というサイン。青いオスからの攻撃を避けているともいわれます。完全な瑠璃羽になるには3～4年かかります。段階的な変化にも何か意味があるのでしょうか。子育ての舞台は山地の針葉樹林で（道東では海岸の森でも）札幌では西部から南部の山中で笛の音のようなさえずりを聴くことができますが、低い山や平地林での出逢いの機会は、主に春と秋の通過時となります。

小型ツグミ類

スズメ目ヒタキ科

夏鳥

コルリ *Larvivora cyane nechaevi*

漢字名	小瑠璃	中国名	藍歌鴝	英名	Siberian Blue Robin
サイズ	14センチ	雌雄差	あり	食べもの	昆虫類・ミミズ

鳴声　ヒッヒッヒッヒッ…ピンルルルルルル（S）ツッ，ツッ／チッ，チッ（C）

国内分布　北〜本州中部　国外分布　中東北部・沿海州・サハリン・朝（繁）東南亜（冬）

見られやすさ　ややまれ　観察適地　③⑥⑫⑬⑮⑯⑰⑱など

♂

目先から頬、肩にかけて延びる黒いアイマスク

CHECK! 額の部分がひときわ鮮やかに青い

CHECK! 側胸の黒いラインがノドから胸の白さを際立たせます

頭から背、腰、尾羽までの上面全体が濃青色

翼に褐色味があるのでまだ若い鳥のようです 成鳥は青＋黒褐色

♂の若鳥は顔の黒味が薄く墨色 幼鳥は背が青く顔は♀と同じ

ノドからおなか全体にかけて真っ白 背側の青とのコントラストがみごとです

脚は長く丈夫。体を立てる姿勢をとった様子は小型ツグミ類らしい

オオルリの親戚のように思われがち。実は小型ツグミ類なので脚力があり、ぴょんぴょん跳ね歩いてはピタリと静止する、いかにもの動きを見せます。メスの前で頭と尾をピンと反らせた独特のポーズで歩くディスプレイを行い、誇示するのは鮮やかな上面のブルーではなく、純白に輝く下面の白さ。アイマスクから側胸の黒ラインは、この白を際立たせるためのデザインなのでしょう。コマドリに似た声でさえずり、歌の前にチッチッチッという前奏を入れるのが特徴です。深いササやぶの広がる森や林で暮らしています。

スズメ目ヒタキ科

オオルリ *Cyanoptila cyanomelana cyanomelana*

漢字名	大瑠璃	中国名	白腹姫鶲／白腹琉璃	英名	Blue-and-white Flycatcher
サイズ	16センチ	雌雄差	あり	食べもの	昆虫類
鳴声	ヒーリーリー，ジジッ／フィーチョーチョー，ジジッ（S）クワッ，クワッ／ヒーヒー（C）				
国内分布	北〜九	国外分布	沿海州・中東北部・朝（繁）中南部・東南亜（冬）		
見られやすさ	ふつう	観察適地	②③⑥⑫⑬⑭⑮⑯⑰⑱など		

ヒタキの仲間はフライキャッチャーと呼ばれます。木の頂や枝先から飛び上がり、空中で昆虫を捕え、また元の場所に戻るフライングキャッチをくりかえすためです。この採食行動を背の瑠璃色が見える位置から観察できると幸運で、まるで青い宝石が舞っているような美しさ。渓谷の森の梢で澄んだ声を響かせ、歌のあとに〈ジジッ〉とか〈ギチッ〉という濁りを加えるのが特徴です。大量のコケを用いた巣を岩棚につくり、ヒナが危険にさらされるとメスがさえずるように鳴くことでも知られます。ヒナに警戒をうながしているのでしょう。一方、ペアで居並び、互いにさえずりあっていることもあります。オスの頭の青は背より鮮やかに見え、ディスプレイの際にはやや逆立て、また黒いノドをふくらませるように誇示します。

ヒタキ類

♀は全体に淡い茶褐色
♀
CHECK! ノドの褐色味は
キビタキ♀より濃いめ
尾羽にはやや赤味があります
胸やワキは淡い茶褐色
おなかは白っぽい
♀
頭から背、腰にかけて
黄褐色の斑点がちりば
められたまだら模様
この部分の淡色のライン
が若鳥の特徴です
翼と尾は青く
なっています
♂ 若鳥

夏鳥

スズメ目ヒタキ科

キビタキ *Ficedula narcissina*

漢字名 黄鶲　**中国名** 黄眉姫鶲 / 水仙花鶲　**英名** Narcissus Flycatcher

サイズ 14センチ　**雌雄差** あり　**食べもの** 昆虫類

鳴声 ピッコロロ，ツクツクチィー，チーチョホイ，チーチョホイ(S) ビッ，ビッ / ブーン(C)

国内分布 北〜九　**国外分布** 中北部・サハリン・南千島(繁) 中南部・東南亜(冬)

見られやすさ ふつう　**観察適地** ②③⑤⑥⑨⑫⑬⑮⑯⑰など

ヒタキ類

CHECK! 後から見ると黄色い腰が目立ちます。さえずる時や争う時にはこの部分をふくらませます

♂

腰の黄色い部分をふくらませたところ

若鳥の色彩は成長過程によってさまざまに変化します
個体によってはまったく別の鳥のように見えます

頭から背は♀を想わせる灰褐色

額や目先に黒い部分、目の上に黄色い眉ラインがわずかに出はじめています

ノドの濃いオレンジはまだ胸に達していません

♂ 若鳥

おなかは白い

英名ナルシスは水鏡に映る自分の姿に恋して水仙になった美青年。薄暗い森のなかでひらめくイエローの輝きは、まさに森の妖精。かたや歌声はポップでリズミカル。いろいろな鳥の鳴きまねをし、時にクマゲラの声まで披露。北海道にはいない鳥やツクツクボウシの声までがレパートリーの芸達者ぶりです。めっぽう気が強く、オス同士の争いにメスが参戦することも。黄色い腰をふくらませた威嚇スタイルや〈ブーン〉という奇妙な脅しの声、とっくみあったまま地上に落下するなど、ユニークな行動で観察を楽しませてくれます。メスはオリーブ色の強いタイプとそうでないものがいて、しばしば見分けに困ることも。若鳥の羽色も多様です。市街地周辺の公園緑地でも見られ、通過していくものと子育てをしているものがいます。

スズメ目ヒタキ科

コサメビタキ *Muscicapa dauurica dauurica*

漢字名	小鮫鶲	中国名	北灰鶲	英名	Asian Brown Flycatcher
サイズ	13センチ	雌雄差	なし	食べもの	昆虫類・果実
鳴声	チィーチリリリチョピリリリ(S) ツィー(C)				
国内分布	北海道〜九州	国外分布	北亜・東亜・南亜(繁) 東南亜(冬)		
見られやすさ	ふつう	観察適地	ほぼ全域の林や疎林		

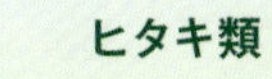

CHECK! 若鳥の羽は白い縁取りが顕著ですが次第に目立たなくなります

背中側から見たようす
光の当たり方でグレーの色あいが違って見えます

幼鳥は頭から背に白斑が散在します
まだら模様で別の鳥のように見えます

鮫肌色と称される、つつましいグレーの衣装。下クチバシにだけそっと引かれたオレンジ色のルージュ。口の中でなにやらブツブツつぶやいているだけのかぼそいさえずり。扇状に開いた尾羽を震わせたり、持ち上げておしりの白い部分を見せるくらいのひかえめな求愛。公園や神社の林などでのひっそりとした暮らしぶり。とにかく地味な小鳥です。ところが樹の横枝の上に架けられたお椀型の巣は、地衣類を巧みに貼り付けてカムフラージュした、一見木のコブにしか見えない芸術的なもの。あくまで目立たず、されど仕事はきっちり。なんとも職人気質な鳥なのです。巣に座って卵を抱くメスに、ホバリング（停空飛翔）で食事を与える軽業師でもあります。

スズメ目ウグイス科

ウグイス *Horornis diphone cantans*

漢字名 鶯　中国名 日本樹鶯 / 告春鳥　英名 Japanese Bush Warbler	
アイヌ語名 ホホチㇼ hoho-cir（ホーホー・鳥）/オパケキヨ opakekiyo（鳴声から）ほか	
サイズ 14－15.5センチ　雄雌差 ほぼなし　食べもの 昆虫類・果実	
鳴声 ホー，ホケキョ（チョ）/ケキョケキョケキョケキョ（S）チャッ，チャッ（C）	
国内分布 ほぼ全国　国外分布 中東北部・沿海州・サハリン・朝（繁）東南亜（冬）	
見られやすさ ふつう　観察適地 ほぼ全域	

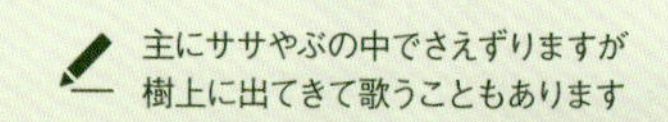

CHECK! 眉ラインは淡く
アイラインは黒く細い
目はくりっとしてかわいい

ササやぶの中を潜行します
ウグイスのいるところササあり

雪どけを待つように現れ、いつものさえずりを響かせる春告鳥。名と声は有名すぎるほど。でも、ちゃんと姿を見たことのある人は案外少ないのでは。いつもササやぶの中にいるので、目にできる機会はまれなのです。「梅に鶯」ではなく、実際は「笹に鶯」。海岸から高山まで、ササあるところウグイスあり。大きな〈ケキョ〉を連続させる「谷渡り」、〈チャッ〉という舌打ちを続ける「笹鳴き」、〈ホーホホ、ホケキョ〉とホーを断続させる「威嚇鳴き」など、いろいろなレパートリーがあります。メスが忙しく子育てをしているあいだ、オスはひたすら求愛の歌を熱唱しているだけ。彼らは一夫多妻なので、新たなメスを一羽でも多く獲得しようとしているのです。

地味な背の色も光の当たり方で
オリーブ系の色あいとなります

スズメ目ウグイス科

夏鳥

ヤブサメ *Urosphena squameiceps*

漢字名 藪雨	中国名 鱗頭樹鶯／短尾鶯 英名 Asian Stubtail
サイズ 11センチ	雌雄差 なし 食べもの 昆虫類
鳴声	シシシシシシシ(S) チャッ，チャッ (C) ビチビチビチ(警戒音)
国内分布 北～屋久島	国外分布 沿海州・中東北部・朝・サハリン(繁) 東南亜(冬)
見られやすさ ふつう	観察適地 ②③⑥⑨⑫⑬⑭⑮⑯⑰⑱⑲⑳など

「流鏑馬」ではなく「藪雨」です。ササやぶの中から響いてくる、およそ鳥らしからぬ声。虫の音にしか聞こえません。そのかぼそき旋律を「笹の葉にあたる雨」になぞらえたのでしょうか。素敵な語感の名称です。ただ音域がかなり高いようで、人によっては可聴範囲外となることもあります。子育て真最中のペアの巣に、どうしてか別のオス（侵入者）がやってくることがあります。しかもそこでさえずってみせたり、家主のオスを攻撃したり、はたまた気まぐれにヒナ（よその子）に餌を与えてみたり。自分のパートナーが卵を抱いているあいだに、隣近所の巣へちょっかいを出しにきているようなのですが、なんとも奇妙な行動です。ひと夏に2回子育てをするので、次の「お相手」にと勝手に見そめたメス（でもまだ人妻）へのアプローチを、侵入者はいち早く始めているということなのでしょうか。つど相手を変えるのが普通なのか、それとも浮気性な個体がいるだけなのか。そのあたりも気になるところです。

ムシクイ類

スズメ目ムシクイ科

夏鳥

センダイムシクイ *Phylloscopus coronatus*

漢字名	仙台虫喰	中国名	冠羽柳鶯	英名	Eastern Crowned Leaf Warbler
サイズ	13センチ	雌雄差	なし	食べもの	昆虫類
鳴声	チヨチヨビー / チチヨビー / チヨチヨチヨ / フィー，フィー (S) フィッ / ピィッ (C)				
国内分布	北〜九	国外分布	沿海州・中北東部・朝(繁)印・東南亜(冬)		
見られやすさ	ふつう	観察適地	ほぼ全域の林や疎林		

〈チュインチュイン〉〈ピヨピヨピヨ〉など
ふだんとは違うリズムで鳴くこともあります

CHECK! 頭上の真中に白っぽいラインが入るのが特徴です（個体によってはわかりにくいものもいます）

虫を狙っている時は体勢を水平にします

背は緑褐色とかオリーブ緑色などと表現されます。光の加減で見え方が変わります

翼の色調が背とやや異なり黄緑味が強いです

ムシクイの仲間はみなそっくりですが、それぞれさえずりがちがいます。この鳥は「チヨチヨビー」と聞こえる歌を「鶴千代君」と聞きなし、歌舞伎&浄瑠璃の『伽羅先代萩（めいぼくせんだいはぎ）』（仙台藩伊達家のお家騒動）になぞらえ「千代→先代→仙台」に変化したヤヤコシイ名称（先代とは千代、仙台の暗喩）。素直にチヨムシクイという名にすればよいような気もしますが、きっとこのひねりがミソだったのでしょう。雑木林を代表する鳥のひとつで、枝から枝へと移り渡り昆虫を捕食しています。ササやぶのくぼみなど地上に巣を構え、しばしばツツドリに托卵されます。市街の緑地でも見られますから、案外と身近なところでも子育てをしているのでしょう。

ムシクイ類

スズメ目ムシクイ科

夏鳥

エゾムシクイ *Phylloscopus borealoides*

漢字名 蝦夷虫食		**中国名** 日本淡脚柳鶯		**英名** Sakhalin Leaf Warbler	
サイズ 12センチ		**雌雄差** なし		**食べもの** 昆虫類	
鳴声 ヒーツーキー, ヒーツーキー (S) ピッ, ピッ (C)					
国内分布 北海道〜四国		**国外分布** 沿海州・サハリン・南千島(繁) 東南亜(冬)			
見られやすさ ややまれ		**観察適地** ②③⑤⑥⑨⑫⑬⑭⑮⑯⑰⑱⑲⑳など			

遠目にも眉ラインが
はっきりわかります

よく響く金属的な
声でさえずります

下クチバシの色はあまり
目立たず先端が褐色です

センダイムシクイにくらべ
背の褐色味が濃く見えます

翼には帯状の黄白色斑が2つあり
ますが、この個体のようにスレて
見えにくくなっているものもいます

おなかは灰白色

このあたりの黄色味は
ほとんどなくススけた
感じの白です

ムシクイ類はよく鳴きますが
樹頂や枝先には出てこず
葉陰でさえずります

金属的な声で歌います。音質やリズムがコガラのさえずりにも似ていますが、よりキンキンした感じでしょうか。古い自転車のブレーキ音にたとえる人もいます。コガラの声質はどこか甘い感じがするのに対し、この鳥の音色には硬質な印象があります。ムシクイ仲間のうちではいちばん茶色味の強い鳥とされるものの、光の加減などで見た目のイメージは大きく変わってしまいます。鳴いていない時の見分けはかなり困難です。春の渡りの頃は市街地の公園林でもさえずり、また鋭くてよく響く大きな地鳴（キビタキのものにも似ています）が聞こえてきます。山地の苔むした森の谷間などで子育てを行い、崩れた岩がごろごろし、樹の根がむきだしになっているようなところが好みです。名に「蝦夷」と付けられているのは主に極東で子育てをするためで、北海道だけに棲んでいる鳥という意味ではありません。

よく似たムシクイ類3種の比較

スズメ目ムシクイ科

オオムシクイ *Phylloscopus examinandus*

漢字名 大虫食	**中国名** 堪察加柳鶯	**英名** Kamchatka Leaf Warbler
サイズ 13センチ	**雌雄差** なし	**食べもの** 昆虫類

鳴声　ジジロ, ジジロ, ジジロ/チチロ, チチロ, チチロ (S) ジジッ/ジュッ/リュッ (C)

国内分布　全国(通過)・知床半島・斜里周辺域(繁)

国外分布　サハリン・千島列島・カムチャツカ(繁) 東南アジア(冬)

見られやすさ　ふつう　**観察適地**　①②③④⑤⑥⑨⑫⑬⑭⑰⑲⑳など

淡黄白色～白の眉ライン

背中側全体が一様に
やや緑がかった茶褐色

初夏と秋に通過

淡黄白色の斑が目立つ
もの・それほどでもな
いもの・見えないものと
それぞれいます

おなかは灰白色または
黄色味がかった灰白色
下面の黄色味が全体に
かなり強いものもいます

おしりのあたりがセンダ
イムシクイ並みに黄色い
ものもいます

脚は褐色

旅鳥として通過する際、俗に「ジジロ鳴き」と呼ばれる3音節のリズムの歌を披露していくムシクイ類です。かつてはメボソムシクイの亜種コメボソムシクイとされていた鳥でしたが、その後、同亜種オオムシクイを経て2012年に独立種となりました。渡来は遅く、5月下旬から6月上旬。市街中心部の大通公園でもさえずりを耳にすることができます。札幌からは概ね一週間程度でいなくなってしまい、知床半島など道東の山地へ移動して子育てをしています。秋の移動は8月中旬から10月上旬までと長いのですが、さえずらないためなかなか気づきません。東南アジアに渡って冬を越します。渡来数が一定しておらず、あまり見られない年もあります。

センニュウ類

スズメ目センニュウ科

夏鳥

エゾセンニュウ *Locustella amnicola*

漢字名 蝦夷仙入	**中国名** 蒼眉蝗鶯　**英名** Gray's Grasshopper Warbler
アイヌ語名 トッピ toppi（鳴声から）/トゥッピッチリ tutpit-ciri（tutpitと鳴く鳥）	
サイズ 18センチ	**雌雄差** ほぼなし　**食べもの** 昆虫類
鳴声 チョッ（トッ），ピン，チャカチャカ（S）タッ，タッ/グッ，グッ/ツリッ，ツリッ（C）	
国内分布 北海道（繁）全国通過	**国外分布** 北アジア（繁）東南アジア（冬）
見られやすさ ややまれ	**観察適地** ⑦⑧⑨⑩⑪⑫⑬⑰⑲⑳㉑など

くっきりした白〜灰白色の眉ライン
時に不明瞭な個体もいます

背中側は濃い茶褐色
光の加減で緑がかって見えることも

恐竜っぽいいかつい顔つき

口元にヒゲは
目立ちません

♂は顔から胸にかけ灰色味が強く
うろこ状の模様が出る個体もいます
♀と若鳥は淡い灰白色とされます

おなか側は淡い灰褐色で
ワキは色が濃い

背の高い草やぶや林下のササやぶなどで夜通し大声で鳴き続けます。聞きなしは「ジョッピンかけたか」。北海道の方言で「鍵かけたか?」としつこく尋ねる夜回り鳥。ホトトギスのさえずりにもよく似るため「エゾホトトギス」と呼ばれることも。住宅地でも声を聞くことがあり、移動の途中で鳴いていくものも多いようです。市内北部などでは少ない鳥ではありませんが、やぶに身をひそめているのが常で、鳴いていても姿を目にする機会はまれです。

類似種
シマセンニュウ（島仙入）
L. ochotensis 16センチ

「島」は北海道。「牧野」は字の通り。原野や湿原、牧場の鳥。北海道でのみ子育てをしています。札幌では北部の石狩川や豊平川沿いなどで出逢えるチャンスがわずかにありそう。シマセンの歌は〈チュルル、チュカチュカチュカ〉と早口でリズミカル。よくフライトソングをしています。マキセンは〈チリリリリ〉と息の長い虫のようなさえずり。どちらも渡りの季節には市街地の公園でも姿を見かけることがありますが、やぶ陰でひっそりと採食しているだけなので見のがされがちです。

CHECK! 頭から背にかけて黒い縦斑が目立つのが特徴です

参考種
マキノセンニュウ（牧野仙入）
L. lanceolata 12センチ

スズメ目ヨシキリ科

夏鳥

オオヨシキリ *Acrocephalus orientalis*

漢字名	大葦切	中国名	東方葦鶯	英名	Oriental Reed Warbler
サイズ	18センチ	雌雄差	なし	食べもの	昆虫類
鳴声	ギョッギョッシッ, ギョッギョッシッ, ケッケッシッ (S) ゲッ/ギョッ (C)				
国内分布	北～九	国外分布	ユーラシア (繁) アフリカ・印・東南アジア (冬)		
見られやすさ	ふつう	観察適地	⑦⑧⑩⑪など		

さえずる時には頭の毛を
逆立てることが多いです
頭には黒い羽毛が混じります

眉のラインがくっきりした個体
とそうでない個体がいます

背中側はやや灰色
がかった褐色です

ノドをケバ立たせて
さえずります

おなかは灰白色 (個体によって
かなり白味の強いものもいます)

脚は細くて長い
地上にはほとんどおりません

よく似たエゾセンニュウは草の上に
出てきて鳴くことはまずありません

CHECK! 口の中は真赤。大きく口を開けてさえずっている時が観察の好機

さえずっている時の顔つきは猛々しく恐竜っぽい感じ

光の当たり方でおなか側は真白にも見えます

ワキは褐色味が強い

初夏、河川や湖沼のヨシ原に現れます。オスはほとばしるエネルギーで昼も夜もなく精力的にさえずり続けますが、ペアができると歌の頻度は急に低下します。メスを他のオスからガードするためです。メスが卵を抱きはじめると、再び活発に歌い出します。2番目のメスを誘うためです。やがてヒナが誕生すると、またもや歌の頻度が下がります。今度はエサ運びに専念しなくてはならないからです。なんとも忙しい鳥ですが、複数のメスを得られるオスがいるかたわら、一度も結婚できない哀しいオスもいます。越冬地から早々に到着し、巣づくりに適した場所を先に確保した個体の方が有利なようです。

スズメ目ヨシキリ科

夏鳥

コヨシキリ *Acrocephalus bistrigiceps*

漢字名 小葦切	中国名 黑眉葦鶯	英名 Black-browed Reed Warbler
サイズ 14センチ	雌雄差 なし	食べもの 昆虫類

鳴声 ジッキリリッ，キリキリピッ，ギョッ，ピピピ(S) カッ，カッ/クッ，クッ (C)

国内分布 北〜九　国外分布 中東北部・沿海州・サハリン・朝(繁) 東南亜(冬)

見られやすさ ふつう　観察適地 ⑦⑧⑩⑪など

CHECK! 黄白色のくっきりした眉ラインと、その上によく目立つ黒いラインがあります

夏鳥として河川敷の草地や、ススキの生える空き地などにやってきます。近縁のオオヨシキリが見られるヨシ原などよりは休耕田が草原化したような場所を好み、ソングポストと呼ばれる決まったさえずり場所を巡回しつつ、長時間歌い続けます。さえずりはいろいろな音の組み合わせで構成されていて、オオヨシキリやヒバリ、カワラヒワなど、他の鳥の鳴声も巧みに取り込まれています。独身のオスは、メスへのアピールのため終日活発に鳴きますが、ペア成立後はメスのガードに徹して静かになります。メスが卵を抱き始めると、繁殖力旺盛なものたちが新たなメス獲得のため再びさえずりはじめます。

背中側から見た様子

かわいいけれど
ちょっときかん坊な感じ

スズメ目カワガラス科

周年

カワガラス *Cinclus pallasii pallasii*

漢字名 河鳥 **中国名** 褐河烏 / 水黒老婆 **英名** Brown Dipper	
アイヌ語名 ホルンカッケウカムイ / hor-un-kakkew-kamuy (水・にいる・カッケウ・神) ほか	
サイズ 22センチ **雄雌差** なし **食べもの** 水生昆虫・落下昆虫・小型魚類	
鳴声 チチージョイジョイ, ピピピチュイチュイツピツピピヨピヨジョイジョイ(S) ビッ, ビッ(C)	
国内分布 北海道〜屋久島 **国外分布** 南アジア・東アジア・極東アジア	
見られやすさ ふつう **観察適地** ⑭⑮⑯⑱など	

スズメ目の中では唯一潜水できる鳥です

カワガラス

カラスの仲間ではありません。「川のカラス」という名は、遠目には真っ黒く見えるからでしょう。川の上流域に暮らしています。首を水中に突っ込んだまま水面を泳ぎ、餌を見つけると潜水。羽を使い、水中を泳いで採食するあたりはペンギン風です。濁った声で短く鳴きながら川面を低く直線的に飛び、しばしば激しくにぎやかなナワバリ防衛戦が勃発します。まだ雪のある頃からしきりにさえずりはじめ、餌となる水生昆虫の成長段階に合わせたスケジューリングで子育てをスタート。春には早くも巣立ちビナに餌を与えているところを観察できます。

◉幼鳥

スズメ目ミソサザイ科

ミソサザイ *Troglodytes troglodytes fumigatus*

漢字名 鷦鷯　**中国名** 鷦鷯 / 巧婦鳥　**英名** Eurasian Wren

アイヌ語名 トシリポクンカムイ tosir-pok-un-kamuy（川岸の下の穴・の下・に入る・神）ほか

サイズ 11センチ　**雌雄差** なし　**食べもの** 昆虫類

鳴声 ピピピツイツイツイ，チュリリリリ，チヨチヨ，チリリリ(S) チャッ，チャッ / チュルルルルル(C)

国内分布 北海道〜屋久島・種子島　**国外分布** ユーラシア・北アフリカ・北米

見られやすさ ふつう　**観察適地** ②③⑥⑫⑬⑭⑮⑯⑰⑱など

大きく口を開けてさえずっている時は、やや頭でっかちな印象です

CHECK! 尾羽をピンと立てたスタイルが得意です。ディスプレイでは扇状に開き斑紋を誇示します

淡い黄褐色の眉ラインがはっきりしている個体とそうでない個体とがいます

声量があります

ノドから胸は茶褐色であまり斑が目立ちません

おなかから下腹部に黒と白、淡い褐色の斑がちりばめられています

翼に黒と白の横斑があり広げると美しく目立ちます

ミソサザイ

ヒガラ[p14]、キクイタダキ[p34]と共に日本最小の鳥のひとつ。雪どけの水音にかき消されないよう、張りのある美声をふるわせ渓谷に春の訪れを告げます。好奇心が強いようで、観察していると不思議そうな顔をして近寄ってくることも。春早く、オスは岩や倒木のすきまに大量のコケを運び込み、体の数倍もある大きな巣をいくつもこしらえます。これは「求愛巣」と呼ばれる外壁だけのもの。メスはオスの案内でそれら巣の候補を見てまわり、気に入ったものを選ぶと、今度は自ら巣材を運び込んで内巣を完成させます。

脚は丈夫でさえずる時以外は
おおむね地上に近いところにいます

キツツキ目キツツキ科

アリスイ *Jynx torquilla japonica*

漢字名 蟻吸		**中国名** 蟻鴷 / 蛇頭鳥		**英名** Eurasian Wryneck	
サイズ 18センチ		**雌雄差** なし		**食べもの** 昆虫類・果実	
鳴き声 クィクィクィクィ / キィキィキィキィ / ギーギチギチ (S) シューシュー / キュッ, キュッ (C)					
国内分布 北〜東北 (繁)		**国外分布** ユーラシア (繁) 東南亜ほか (冬)			
見られやすさ まれ		**観察適地** ⑧⑨⑩⑪㉑など			

まごうことなきキツツキ科の鳥。なのに木を叩くドラミングもせず、自力で穴を掘ることもせず、木の幹にタテにとまることもほとんどありません。かわりに独特の声で頻繁に鳴き、樹洞の拡張工事くらいは手がけ、横枝から地上をうかがって主食のアリを探します。鳴いているとき以外は伐り株や腐った倒木の上にいて、長いピンクの舌を延ばし、せっせとアリを舐め採ることに余念がありません。アリ塚の多いところに巣がある、といわれるほど。他のキツツキ類が掘った古穴や樹洞で子育てし、近づくものには首をクネクネねじ曲げる奇妙なしぐさと怪音で威嚇します。ヘビを真似た防衛行動とされ、舌をぺろぺろ差し出しているあたりは確かにそれっぽく見えます。防風林や河畔林、湖沼のまわりの明るい林などで暮らしています。

キツツキ目キツツキ科

コゲラ　エゾコゲラ　*Yungipicus kizuki seebohmi*

漢字名 蝦夷小啄木鳥　**中国名** 小星頭啄木鳥　**英名** Japanese Pygmy Woodpecker	
アイヌ語名 エニコカㇻセㇷ゚ e-ni-ko-karsep（木のまわりをまわるもの）	
サイズ 15センチ　**雌雄差** ほぼなし　**食べもの** 昆虫類・果実	
鳴声 ギィー／ビィー／キキキキキキ／キッキッキッキッ	
国内分布 北〜沖（本亜種は北海道のみ）　**国外分布** ロシア極東・北亜東部・東亜東部	
見られやすさ ふつう　**観察適地** ほぼ全域の林や疎林	

CHECK! ♂の後頭には紅い羽毛があり冠羽をケバ立たせると目立ちます。ふだんは隠れていて観察できる機会はあまりありません

♂

スズメほどの小さなキツツキ。カラ類の群れにも混じり「ホントにキツツキ?」と思われてしまいます。小さな体を生かし、細い木や枯草にも器用にとまります。〈ギー〉という濁った声で短く鳴き、また〈キッキッキッキッ〉という突拍子もない大声で鳴くこともあって、本当にこの小鳥が出しているのかとびっくりさせられます。ドラミングの音がひかえめなため、かわりに奇声を張り上げているのでしょう。オスの頭の小さな紅毛もポイントですが、キクイタダキの紅斑と同じくふだんは隠れており、野外ではめったに見られません。枯れかけた木にちゃんと自分で穴を掘って巣づくりします。

日本でいちばん小さなキツツキの仲間

このような細い木の横枝やつるなどにもぶら下がってアクロバットに採食します

キツツキ類

キツツキ目キツツキ科

アカゲラ　エゾアカゲラ　*Dendrocopos major japonicus*

漢字名　蝦夷赤啄木鳥　**中国名**　大斑啄木鳥　**英名**　Great Spotted Woodpecker

アイヌ語名　エソㇰソキ e-sokisoki（頭を・打ちつける）　※アカゲラ類共通

サイズ　24センチ　**雌雄差**　あり　**食べもの**　昆虫類・果実

鳴声　ケッ, ケッ, ケッ, ケッ, ケッ/キョッ, キョッ, キョッ, キョッ, キョッ/キュキュキュキュキュ

国内分布　北海道〜四国（本亜種は本道のみ）　**国外分布**　ユーラシア・印北部

見られやすさ　ごくふつう　**観察適地**　ほぼ全域

♂

CHECK!　♂は後頭部が紅い

額は白く頭は黒い

背は黒い

クチバシは鉛色で細長い

黒ベースの翼に
白斑が並びます

肩に大きな白い紋

おなかは白い

尾羽の左右外側は白く黒斑があり
中央部は黒

下腹部も鮮やかに紅いです
ディスプレイの時にはここを
大きくふくらませて誇示します

♂同士が対立する時などはよく
体を水平にして向かいあいます

♀の頭には紅い部分がありません

逆T字型の黒線

どの角度から見てもよく目立つ大きな白い紋

下腹部は♀も紅い

♀

頬の褐色味の濃淡には個体差がありますが♀の方が比較的淡い

市街地の公園や「陸の孤島」のような緑地でも子育てしています。採食対象は幅広く、いつも木をつついてばかりいるわけではありません。昆虫をはじめ種子や果実も食べています。樹皮を剥いだり幹に穴をあけてカミキリの幼虫を探したりするのは、林から虫が少なくなる冬のあいだ。一見元気そうで、実は腐朽菌に侵され材がやわらかくなった枯れかけの樹木を選んで巣穴をうがちます。毎年新しく掘るため、以前の「空き家」は樹洞を利用して暮らす他のいろいろな生きものたちの貴重なすみかとなっています。

♀

CHECK! 大きな白い紋は背中側から見ると逆ハの字型に見えます

先が2つに分かれた逆V字型の尾羽で幹上の体を支えます

大形の草オオイタドリの茎の中にいる虫を採っています
木の幹以外の場所でも器用にとまることができます
CHECK!
♂♀共におなか側から見た時に最もその紅色が映えます
♀
外側の尾羽は白地に黒斑
翼を広げても大きな白斑が目立ちます
羽を広げると黒地に白の斑紋が並んだ
美しいデザインが目を引きます
♂

◉幼鳥

ワキには縦斑が目立ち下腹部には灰黒色のぼんやりしたまだら模様。その濃淡は成長の具合や個体によって異なり、下腹部がすべて黒灰色のものもいます。この個体は淡色です

成鳥と同じく
下腹部のみ紅い

逆T字型の黒ラインが
太く見える個体です

CHECK! 一見するとオオアカゲラ♂やコアカゲラ♂にもデザインが似ているので注意です

多くの鳥には「さえずり」(歌) と「地鳴き」(ふつうの声) があります。キツツキ類にはさえずりがありません。そのため音の響きやすい、乾いた枯木などををリズミカルに叩いて「歌」の代わりとしています。これをドラミングといいます。ナワバリ宣言やメスへの求愛、威嚇などに用いられるほか、ヒナの巣立ちをうながす時にも使われます。〈キョッ〉とか〈ケッ〉という声は地鳴きです。巣のそばに近づく外敵に対してはヒステリックなほど強く連続的に鳴き続け、ヒナも成長にしたがってよく鳴きます。巣穴から終日ほぼひっきりなしに聞こえてくるほどです。親鳥はいちど子育てに成功した緑地に定住する傾向があるので、巣立った若鳥は翌年からの自分の巣づくりのため、別の場所をもとめて移動していきます。夫婦関係は死別する以外は長く続くようですが、たまに「離婚」するペアもいるとのこと。どのような理由で別れてしまうのか、ちょっと興味のあるところです。

幼鳥の特徴は♂♀共に頭の上が広く紅いこと。成長にしたがって消えていき♂のみ後頭部に紅い部分が残ります

キツツキ類

キツツキ目キツツキ科

コアカゲラ *Dryobates minor amurensis*

漢字名 小赤啄木鳥	**中国名** 小斑啄木鳥 **英名** Lesser Spotted Woodpecker
アイヌ語名 エソｸソキ e-sokisoki（頭を・打ちつける） ※アカゲラ類共通	
サイズ 16センチ **雌雄差** あり	**食べもの** 昆虫類・果実・種子
鳴声 キッキッキッキッ／キュキュキュキュ／ピィピィピィピィ	
国内分布 北海道（主に東部）	**国外分布** ヨーロッパ・ロシア・中国北部
見られやすさ ごくまれ	**観察適地** ⑧⑨⑩⑪㉑など

参考種として紹介します。札幌では石狩や茨戸川周辺などでごくまれに見かける程度。アカゲラに似ますが、おしりが紅くありません。オオアカゲラの幼鳥とも誤認されがち。国内では北海道だけに生息。主に道東で見られる小さなキツツキで、大きさはコゲラとほぼ同じ。防風林や河畔林、海岸林、公園や神社の林などに暮らし、ヤナギの低木やつる植物、オオイタドリの枯草などでひっそり採食しています。

周年

キツツキ目キツツキ科

オオアカゲラ　エゾオオアカゲラ　*Dendrocopos leucotos subcirris*

漢字名	蝦夷大赤啄木鳥　**中国名** 白背啄木鳥　**英名** White-backed Woodpecker
アイヌ語名	エソㇰソキ e-sokisoki（頭を・打ちつける）　※アカゲラ類共通
サイズ	28センチ　**雌雄差** あり　**食べもの** 昆虫類・果実
鳴声	キョッ, キョッ, キョッ, キョッ, キョッ/ケレケレケレ/キョッ, キョッ, ケケケケケ
国内分布	北海道〜奄美大島（本亜種は北海道のみ）　**国外分布** ユーラシア
見られやすさ	ややまれ　**観察適地** ②③⑥⑭⑮⑯⑱など

オオアカゲラとアカゲラ。札幌では同じ森の中で子育てをしているところもあり、また冬には自然林の豊かな公園に設けられた、同じ餌台で観察することもできます。もっとも同時に並んでくれるようなことは（ないことはないにせよ）まず期待できません。黒白のだんだら模様と紅赤色は共通ですが、よく見くらべるとデザインの違いがわかります。暮らしぶりもいくつかの点で異なっています。オオアカゲラは基本的に深い森ずまい。平地の防風林などに姿を見せるのは冬で、季節移動をしているようです。対するアカゲラは海岸の林から山地の森までを幅広くカバー。市街地のわずかな面積の緑地でも子を育てており、冬になってもそのまま留まるものが多いようです。

ナワバリの大きさにも差があります。オオアカゲラは、アカゲラよりもかなり広い範囲を動いているようです。ヒナに与える餌にも違いがあります。オオアカゲラはクワガタやカミキリなど甲虫の幼虫を主としますが、これは大きな枯木や倒木などから得られるもの。より自然度の高い森の存在を感じさせます。アカゲラは、葉っぱの裏などに付いているガやチョウの幼虫を主な対象としています。ちょっとした緑地などでも子育てが可能なのは、きっとこのためでしょう。巣穴の位置も異なり、オオアカゲラは森の天井から突き出した樹の高い位置に、アカゲラは森の天井より低い位置に穴を掘ります。ただ、この違いが何によるものなのかはまだよくわかっていません。

キツツキ目キツツキ科

周年

ヤマゲラ *Picus canus jessoensis*

漢字名　山啄木鳥　中国名　灰頭綠啄木鳥　英名　Grey-headed Woodpecker

アイヌ語名　ウェニウコキ weni-uko-oki（雨を・互に・呼ぶ）ほか

サイズ　30センチ　雌雄差　あり　食べもの　昆虫類（特にアリ類）・果実・樹液など

鳴声　ピョーピョーピョーピョーピョ/ケレッ，ケレレレレ/キョ，キョ，キョ，キョ/ギョッ，ギョッ

国内分布　北海道　国外分布　ユーラシア広域・インド・東南アジア

見られやすさ　ふつう　観察適地　②③⑥⑫⑬⑭⑮⑯⑰⑱など

倒木や伐り株などにいるところをよく見かけます。舌を伸ばし、主にアリを舐め採っているのです。細い枝にも器用にとまることができ、雪の季節にはもっぱら木の実を食べているようです。この鳥が鳴くと天気が悪くなるというアイヌの言い伝えがあるのは、木の頂にとまり独特のカン高い声で笑うように鳴く姿が雨乞いを連想させたからでしょうか。ドラミングとはまた別の、さえずりに近い意味があるのかもしれません。春には雌雄が向かいあい、首を長く伸ばしクチバシを垂直に持ち上げる求愛ディスプレイが見られます。国内では北海道固有のキツツキだけに北方の鳥と思われがち。実は大陸では亜寒帯から温帯にかけ広く分布し、沖縄や台湾などと同緯度地方でも見られます。ごくまれに本州へ姿を現すこともあるようで、江戸時代から「しまあをげら」（北海道のアオゲラ）として認識されていました。

ヤマゲラとよく似るアオゲラは北海道では見られません。津軽海峡をはさんで棲み分けています。大陸には分布しない日本の固有種で、学名はそのまま「アオゲラ」を意味します。おなかの縞模様はヤマゲラにはありません。ただし幼鳥には黒い横斑が出るので注意です。アリを好み、よく地上に下りるのはヤマゲラと同じです。

参考種 アオゲラ
P. awokera
分布は本州以南

周年

キツツキ目キツツキ科

クマゲラ *Dryocopus martius martius*

漢字名 熊啄木鳥 **中国名** 黑啄木鳥 / 大黑打木 **英名** Black Woodpecker

アイヌ語名 チㇷ゚タチカㇷ゚カムイ cip-ta-cikap-kamuy（舟・掘る・鳥・神）ほか

サイズ 46センチ **雌雄差** あり **食べもの** 昆虫類（特にアリ類）

鳴声 キョーン，キョーン/ケケーン，ケケーン/コロコロコロコロ/クィクィクィクィ/クィーン

国内分布 北海道～東北北部 **国外分布** ユーラシア大陸中高緯度地域

見られやすさ まれ **観察適地** ②③⑥⑨⑮⑯など

主食はアリ。腐倒木や伐り株など地上付近で採食します。雪の季節には木の実などのほか、樹の根元付近で越冬するアリを食べるため、幹の下方に長方形の大きな穴を掘ります。これはクマゲラ独特の採食痕で、特に「舟掘り」と呼ばれるもの。アイヌ民族に丸木舟を掘ることを教えた神の鳥、という伝承にもとづいたものです。穴に樹液がにじむと再びアリが集まるため、穴を開けた後もちょくちょく様子を見にやってきます。

飛行中も目とクチバシの
淡色が目立ちます

飛んでいる姿も真黒で
一見カラスに似ています

飛翔中にコロコロコロという
澄んだ声でよく鳴きます

ふわふわしたちょっとぎこちない
カケスにも似た飛び方をします

よく響く大きな声で鳴くため「シャケビ」（叫び）という地方名もありました。主にシナノキの大木にねぐら穴を開けます。テンなど敵の襲撃に備え、穴は内部でつながっているといわれます。巣穴を小さなゴジュウカラに狙われ、留守中に巣材を持ち込まれてしまうことも。それを捨てる際、自分の卵まで捨ててしまうという奇妙な行動も観察されています。原生林の鳥のイメージがありますが、札幌では冬季に平地の防風林や、時に街中の公園林などにも姿を見せます。

カラス類

スズメ目カラス科

周年

ハシブトガラス *Corvus macrorhynchos japonensis*

漢字名 嘴太鴉	中国名 大嘴烏鴉 / 巨嘴鸦　英名 Jungle Crow
アイヌ語名	シパㇱクㇽ si-paskur（糞・カラス）/ウェンチカㇷ wen-cikap（悪い・鳥）ほか
サイズ 57センチ	雌雄差 なし　食べもの 雑食性（小動物・鳥類・昆虫・果実など）
鳴声	カアー，カアー / アーアーアー / カポン，カポン / ゴア，ゴア / アハハハ / ガラララなど
国内分布 北海道〜沖縄	国外分布 南亜・東南亜・極東亜・サハリン・千島
見られやすさ ごくふつう	観察適地 ほぼ全域

両脚をそろえて跳ね歩くスタイルと交互に出して歩くスタイルを行いますが主には跳ね歩きです

亜璃西社の読書案内

版 さっぽろ野鳥観察手帖

大輔 著／諸橋 淳・佐藤 義則 写真

札幌の緑地や水辺で観察できる代表的な野鳥123種を厳選。改訂版では近年札幌で観察されるようになったダイサギを増補。鳥たちの愛らしい姿をベストショットで紹介する写真集のような識別図鑑。

●四六判・288 ページ(オールカラー)
●本体2,000円+税

増補版 北海道の歴史がわかる本

桑原 真人・川上 淳 著

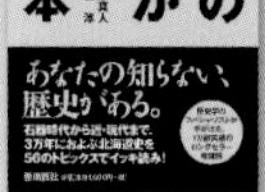

累計発行部数１万部突破のロングセラーが、刊行10年目にして初の改訂。石器時代から近現代までの北海道３万年史を、４編増補の全56トピックスでわかりやすく解説した、手軽にイッキ読みできる入門書。

●四六判・392ページ
●本体1,600円+税

版 知りたい北海道の木100

孝夫 著

散歩でよく見かける近所の街路や公園、庭の木100種を、見分けのポイントから名前の由来までたっぷりの写真とウンチクで解説。身近な北海道の木の名前を覚えたいあなたにおススメの入門図鑑。

●四六判・192 ページ(オールカラー)
●本体 1,800 円+税

増補改訂版 札幌の地名がわかる本

関 秀志 編著

10区の地名の不思議をトコトン深掘り! Ⅰ部では全10区の歴史と地名の由来を紹介し、Ⅱ部ではアイヌ語地名や自然地名などテーマ別に探求。さらに、街歩き研究家・和田哲氏の新原稿も増補した最新版。

●四六判・508 ページ
●本体2,000円+税

新装版 北海道樹木図鑑

孝夫 著

新たにチシマザクラの特集を収載! 自生種から園芸種まで、あらゆる北海道の樹596種を解説。さらにタネ318種・葉430種・冬芽331種の写真など豊富な図版で検索性を高めた、累計10万部超のロングセラー。

●A5判・352 ページ(オールカラー)
●本体3,000円+税

さっぽろ歴史&地理さんぽ

山内 正明 著

札幌中心部をメインに市内10区の歩みを、写真や地図など約100点の図版をたっぷり使って紹介。地名の由来と地理の視点から、各地域に埋もれた札幌150年のエピソードを掘り起こす歴史読本です。

●四六判・256ページ
●本体1,800円+税

道開拓の素朴な疑問を関先生に聞いてみた

秀志 著

開拓地に入った初日はどうしたの？ 食事は？ 住む家は？――そんな素朴な疑問を北海道開拓史のスペシャリスト・関先生が詳細&楽しく解説！北海道移民のルーツがわかる、これまでにない歴史読み物です。

●A5判・216ページ
●本体1,700円+税

札幌クラシック建築 追想

越野 武 著

開拓使の都市・札幌で発展した近代建築を、長年にわたり調査・研究してきた北大名誉教授の著者。その豊富な知見から、歴史的建造物の特徴や見どころなどを柔らかい筆致でつづる、札幌レトロ建築への誘い。

●A5判・240 ページ(オールカラー)
●本体3,000円+税

璃西社 〒060-8637 札幌市中央区南2条西5丁目メゾン本府701 TEL.011 (221) 5396 FAX.011 (221) 5386
ホームページ https://www.alicesha.co.jp ご注文メール info@alicesha.co.jp

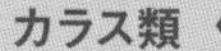

いまやスズメ以上に身近な鳥と感じる人もいるでしょう。それでも子育ての季節などには野生のすごみを感じさせられることもしばしば。人の心情を読むようなところもあり、賢く、あなどれない鳥です。ヒト社会をうまく利用していて、巣材には人工物も用います。朝のススキノを我がもの顔に闊歩し、もはやそばを通っても気にしません。それでいてちゃんと相手の動きを観察しています。世界的には出逢いのまれな森の鳥。かくも近しい存在として親しめるのは日本だけともいわれます。自然界では「お掃除屋」（スカベンジャー）としての役割が大きく、動物の死骸を食すほか、ネズミなど生きた小動物、鳥の卵やヒナ、時にドバトを襲うことも。

カラス類

スズメ目カラス科

ハシボソガラス *Corvus corone orientalis*

漢字名 嘴細鴉　**中国名** 小嘴烏鴉　**英名** Carrion Crow

アイヌ語名 シラㇼコカリ sirar-ko-kari（岩磯・に・往来する）ほか

サイズ 50センチ　**雌雄差** なし　**食べもの** 雑食性（小動物・鳥類・昆虫・果実など）

鳴声 ガァー，ガァー/グワララ，グワララ/カララ，カララ

国内分布 北海道〜九州　**国外分布** 欧州〜カムチャツカ＋極東アジア

見られやすさ ごくふつう　**観察適地** ほぼ全域

CHECK! おでことクチバシの間の段差がほとんどなくなだらかです

頭の羽毛をぼさぼさにしていることはあまりありません

全体にスマートな印象です

頭が小さく小顔の印象

光の当たり方で青や紫の光沢が出ます。各羽毛がくっきり見えて爬虫類のウロコのような印象となります

クチバシはほっそりめ
先端の湾曲はなだらか

おじぎをするように体を上下に動かしながら発声。おなかや胸、背などの羽毛をケバ立たせます

CHECK! 両脚ぞろえの跳ね歩きが多いブトに対しボソは脚を交互に出して歩くことが多いです

クルミの実を空から落として割る行動

飛んでいる姿を逆光で見ると
羽の部分が透けて見えます

「ブト」（前項ハシブトガラス）「ボソ」の愛称でも呼ばれる2種のカラス。ブトは森林性、ボソは草原性ともされますが、共に都市へも適応しています。ブトは海岸から高山まで幅広く見られ、ボソは耕地や海岸など開けた環境を好みます。札幌市街での巣づくり密度はボソの方が高く、子育てのスタートもボソの方が早め。春めいてくるとさっそく巣づくりにいそしむペアが現れます。クルミの実をアスファルトに落としてカラを割る（あるいは車に轢かせて割る）、落葉を丹念にかき分けてドングリを探し、皮を器用に剥いて食べるといった行動はボソならではのもの。同じカラスでも性質にはかなり違いがあるようです。ボソはブトにくらべ小ぶりですが、時にどちらともつかないようなクチバシを持ったものも見かけます。

スズメ目カラス科

カケス　ミヤマカケス　*Garrulus glandarius brandtii*

漢字名　深山橿鳥 / 深山懸巣　**中国名**　松鴉 / 山和尚　**英名**　Eurasian Jay

アイヌ語名　エヤミ eyami / パルケウ parkew / ハルポ haru-po（食糧・小さい）ほか

サイズ　33センチ　**雌雄差**　なし　**食べもの**　雑食性（昆虫・小動物・果実など）

鳴声　ジェー / ジャー / ギャー，ギャー / グァー，グァー

国内分布　北〜屋久島（本亜種は北海道のみ）　**国外分布**　ユーラシア・東南亜

見られやすさ　ふつう　**観察適地**　②③⑥⑪⑫⑬⑭⑮⑯⑰⑱⑲⑳など

頭は明るい茶褐色
ディスプレイの時には
羽毛を逆立てます

目は黒っぽい

口元からヒゲのような黒線が
延びています。ノドは白い

額から頭に黒い縦斑

CHECK!　翼の青・黒・白の
美しい縞模様が特徴

背から肩、おなかは明るくしっとりした感じの褐色味あるグレー
ディスプレイの時には大きくふくらませます

おしりは白い

夏は緑陰にまぎれ、あまり見かける機会がありません。山道で突然しわがれた声(英名はこの声から)が響いて「あ、いたんだ」という感じ。秋になると澄んだ空をひとつ、またひとつ、ふわふわと飛んできて平地にも現れます。冬は森のある公園の餌台にもやってきますが、森の木の実の豊作・凶作と関係があるのでしょうか、まるで姿を見せない年もあります。ものまねに長け、クマゲラなど他の鳥や、またネコなど動物の声色も使います。ノスリやクマタカといった捕食者の声をよく出すのは、周囲の仲間への警戒信号なのかもしれません。それゆえかアイヌの伝承には「雄弁な神」として登場します。

亜種ミヤマカケス（M）の羽の色には個体差が見られます。亜種カケス（K）とは顔の印象がずいぶんちがいます。カケスは海上移動をあまり好まないらしく、両亜種は津軽海峡を境にきっちり棲み分けているようす。Mは最終氷期に大陸から北海道へ移動してきたもの。Kは日本海に隔てられていたため、大陸の集団から独自に分化した亜種であると考えられています。

周年

スズメ目カラス科

カササギ *Pica serica*

漢字名 鵲 中国名 喜鵲 英名 Oriental Magpie	
サイズ 45センチ 雌雄差 なし 食べもの 雑食性（昆虫・小動物・果実など）	
鳴声 カシャ，カシャ，カシャ/キシャ，キシャ/キューイ	
国内分布 北海道・九州ほか各地 国外分布 ユーラシア・北米・北アフリカなど	
見られやすさ ややまれ 観察適地 ⑨⑬⑰⑲⑳などの周辺	

かつて国内では九州北部にしか分布していない鳥でした。ところが90年代から苫小牧や室蘭を中心に定着し、札幌では08年に手稲区で越冬。その4年後には同区内の高圧鉄塔で巣づくりし、現在では市内各地で散発的に目撃される鳥となりました。今後の動向が気になるところです。道内の個体のルーツはロシア極東。九州のものとは遺伝的な特徴が異なります。長距離飛翔が不得手な鳥であること、日本海側ではなく船の出入りが頻繁な太平洋側の港湾地帯で子育てがはじまったことなどから、海を渡ってきたものではなく、船舶にまぎれて侵入してきた個体の子孫ではないかと見られています。住宅地の屋根や路上、電線、街路樹、公園などで見られます。

スズメ目レンジャク科

旅鳥 冬鳥

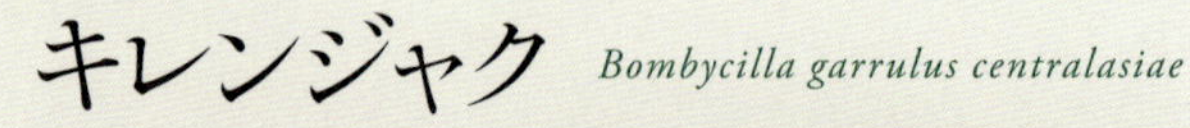

キレンジャク *Bombycilla garrulus centralasiae*

漢字名	黄連雀	中国名	太平鳥 / 十二黄	英名	Bohemian Waxwing
サイズ	20センチ	雌雄差	ほぼなし	食べもの	果実・昆虫類
鳴声	チリチリチリ/チーチー				
国内分布	全国（主に本州中部以北）	国外分布	ユーラシア大陸・北アメリカ（繁）		
見られやすさ	時季にふつう	観察適地	①②③④⑤⑥⑨⑬⑭⑰⑲⑳など		

レンジャク類

顔まわりには紅が差され、紅顔の
歌舞伎役者といったイメージ

おなか側は白味が強い

尾の裏側は紅・黒・黄色

大陸の木の実が不作の冬、豊作の年に生まれた若い鳥たちと一緒に日本へ渡ってきます。街路樹のナナカマドなど、主に木の実を食べますが、特にヤドリギとの縁が深い鳥。その果実には粘り気のある成分が含まれていて、消化されなかったタネは白い糸を引いて鳥のおしりから排出されます。それが落下の途中で木に付着し、新たに発芽するのです。粘液で数珠つなぎとなったタネを、食べているはしから次々に落としていくようすは、ちょっとお行儀がよろしくありません。けれど、それが彼らの主食となる木の実の分布拡散につながっていくわけですね。ヤドリギにとってレンジャク類は大事な「種まき鳥」なのです。

レンジャク類

スズメ目レンジャク科

ヒレンジャク *Bombycilla japonica*

漢字名 緋連雀	中国名 小太平鳥 / 十二紅　英名 Japanese Waxwing
サイズ 18センチ	雌雄差 ほぼなし　食べもの 果実
鳴声	チリチリチリ/ヒーヒーヒー
国内分布 全国（主に西日本）	国外分布 沿海州・中北東部（繁）朝・中南東部（冬）
見られやすさ ややまれ	観察適地 ②③④⑤⑥⑨⑬⑭⑰⑲⑳など

楕円形の
黄色いおなか

「連雀」の名の通り基本的には
群れで行動しています
細く高い金属的な声で鳴きます

背のベージュ褐色と
腰から尾にかけての
淡いグレーが美しい

尾の先に黒＋紅のライン

極東の特産種。アムール川・ウスリー川流域でのみ子育てをしています。英名はシーボルトが日本で最初に採集したことによるもので、日本特産というわけではありませんが、重要な越冬地を示しているという意味ではよいかもしれません。朝鮮半島経由で渡ってくる集団の方が多いとされ、西日本で越冬するものがメイン。北海道ではキレンジャクの群れに混じる程度ですが、年によっては北方からの飛来数も多く、住宅地の屋根のアンテナで鈴なりになっていたりします。そのさまはまさに「連雀」。黄連雀に対し「赤」を用いず「緋」を当てた命名のセンスに感服です。飛び方や飛翔のスタイルは、ややムクドリに似ています。

◉類似種キレンジャク

ヒレンジャクとの
見分けポイント

ハト目ハト科

夏鳥

アオバト *Treron sieboldii sieboldii*

漢字名 緑鳩	中国名 紅翅緑鳩 / 白腹楔尾緑鳩　英名 Japanese Green Pigeon
アイヌ語名	ワウォウ wawow（鳴声から）
サイズ 33センチ	雌雄差 あり　食べもの 果実・種子
鳴声	アーオー，オアーオ，アオアーオ / ウーアーウーアー，ワーオアー，ウッウーッ
国内分布 北海道〜九州	国外分布 中国南東部・台湾・ベトナム北部
見られやすさ ややまれ	観察適地 ②③⑥⑫⑭⑮⑯⑰⑱など

緑葉の化身のような美鳥です。鳥名の「アオ」は「緑」のこと。名はもちろん羽の色からきたものでしょうが〈アーオー〉と聞こえる鳴声に由来するといわれても納得できそうです（もっとも鳴声にもとづく別称は「尺八鳩」のようですが）。声質はヨーデル。ただし陰鬱な響きです。泣きむせぶような声で、ひっそりした森の中でいきなり耳にするとかなり薄気味悪く感じることでしょう。夏季に集団で海岸に飛来して塩水を飲む、または山中の鉱泉に現れて飲水する「奇習」でも知られます。国内の一部集団のみの生態かもしれません。時に荒波にさらわれる危険をおかしてまで海水を摂らねばならない、なにか切実な理由があるのでしょうか。木の実を主食とするベジタリアンゆえ、ミネラル不足を補うためという説明もありますが、真相はナゾです。飛翔中に尾羽を海水に浸すという意味不明な行動も見られます。

尾羽の下側から下腹部に見られる独特のデザインは何のためのものなのでしょう。南方に棲む近縁種ズアカアオバトは、ディスプレイの際に尾羽を立てて開き、この模様を誇示するそうです(向かいあった相手には見えない気もしますが)。アオバトの求愛や争いについての生態は不明ですが、きっと誇示行動にこのデザインを活用しているのではないでしょうか。

ハト目ハト科

キジバト *Streptopelia orientalis orientalis*

漢字名 雉鳩	**中国名** 山斑鳩 / 金背鳩　**英名** Oriental Turtle Dove
アイヌ語名	トイタチリ toy-ta-cir（畑を・おこす・鳥）ほか
サイズ 33センチ	**雌雄差** なし　**食べもの** 果実・種子・昆虫類
鳴声	デーデー，ポッポー / クゥッ，ウー / ウグッ，ウグッ / プン，プゥー
国内分布 ほぼ全国	**国外分布** 南亜・東南亜・東亜・北亜東部・ロシア南東部
見られやすさ ごくふつう	**観察適地** ほぼ全域

目は紅いです。目のまわりも紅く繁殖期には濃くなります

CHECK! 淡い水色と紺色の横縞模様があります。幼鳥にはこの模様がありません

後頭部は薄茶色

黒い羽に茶褐色の縁取りがあり、キジを想わせるうろこ模様となっています

鳴く時にはノドを大きくふくらませます

おしりは青灰色

脚は赤紫色ですが、この個体は白っぽくなっています

地上を歩きながら種子などをついばみ時に昆虫やミミズなども捕食します

ハト類

尾羽の先の白い部分を誇示する
ディスプレイ行動でしょうか
それともただの伸びでしょうか

ヤマバトとも呼ばれます。住宅地の街路樹や庭木に巣をかけることもあれば、深い森のなかで出逢うこともあります。くぐもった響きの声を耳にして「あれはフクロウの声ですか」と尋ねる人も。一見すると地味なグレー。されどよく観れば繊細な雉(きじ)柄のデザイン。夫婦仲円満で、たいていペアで一緒にいます。翼を水平に保って帆翔(はんしょう)するディスプレイ・フライトは猛禽類のハイタカに似た雰囲気。子育ての際は、両親共に嗉嚢(そのう)から栄養分に富んだピジョン・ミルクと呼ばれる分泌液を吐き戻してヒナに与えます。

電線にとまるキジバト。一見ドバトに似ています。おなか側は一様にグレーで下腹部に向かうにしたがいほんのり紫色を帯びます

真白なものから真黒なものまで模様や色彩はさまざま。おおむねグレーを基調とした色あいで、この写真の個体のデザインが標準的なタイプです

類似種 カワラバト（ドバト）

Columba livia var. *domestica*

33センチ

周年

目は紅い

クチバシの基部にある白いコブ状の部分が目立ちます（幼鳥ではあまり目立ちません）

公園などでたむろしているハト。身近な鳥の「御三家」といえばスズメとカラスとハトですが、一般にハトで想定されるのは帰化種のこちらであることの方が多いようです。元はカワラバトと呼ばれる野生種で、家禽として飼われていたものが再野生化したもの。上クチバシの付け根に、こぶ状に盛り上がった蝋膜（ろうまく）あるいは鼻瘤（びりゅう）と呼ばれる白い部分が目立ちます。ピジョン・ミルクによってヒナを養うため年中子育てが可能で、札幌でも晩秋や真冬にヒナの観察例があります。

カッコウ類

夏鳥

カッコウ目カッコウ科

カッコウ *Cuculus canorus telephonus*

漢字名　郭公　　中国名　大杜鵑 / 喀咕　　英名　Common Cuckoo

アイヌ語名　カッコㇰチカㇷ゚kakkok-cikap（カッコウ・鳥）など

サイズ　35センチ　　雌雄差　なし　　食べもの　昆虫類

鳴声　カッコー，カッコー / カカカ，カッコー / カッコー，ゴガガ(S) ピピピピピ(C)

国内分布　北海道〜九州　　国外分布　ユーラシア(繁)・アフリカ南東・東南亜(冬)

見られやすさ　ふつう　　観察適地　⑦⑧⑨⑩⑪など

ピピピピという鋭い声は♀がよく出しますが時どき♂が出すこともあります

札幌市の鳥です。指定されたのは1960年のこと。80年代までは市街中心部の北海道大学や同植物園でも鳴声が聞こえたといわれます。現在の観察適地は市の北東部から北西部にかけての河川敷や農耕地周辺など、かつての札幌のおもかげをいまに残す地域。子育てのすべてを他の種の鳥に任せてしまう「托卵（たくらん）」行動で知られ、その里親にはオオヨシキリやノビタキ、アオジなどが選ばれます。しかしこれらの鳥もいつまでもただダマされているばかりではありません。自分の卵に紛れ込んだカッコウのそれをちゃんと見抜き、巣の外へ捨ててしまう親鳥もいます。留守中にこっそり卵を産みにきた無法者に気づき、激しい攻撃をしかける果敢な親鳥もいます。そんな時のカッコウのメスは、邪魔された腹いせなのでしょうか、巣内の卵やヒナを外へ放り出すという暴挙に出て飛び去っていくこともあります。

カッコウ類

カッコウ目カッコウ科

夏鳥

ツツドリ *Cuculus optatus*

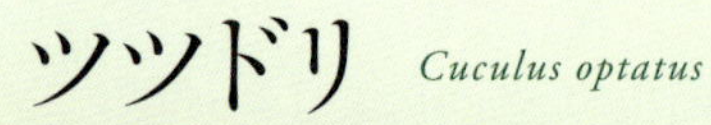

漢字名 筒鳥　**中国名** 中杜鵑 / 山郭公　**英名** Oriental Cuckoo

アイヌ語名 トゥトゥッ tutut（鳴声から）

サイズ 33センチ　**雌雄差** なし ※赤色型の♀あり　**食べもの** 昆虫類

鳴声 ポポッ，ポポッ，ポポッ，ポポッ / クワッ，グワワッ，ポポポポポ（S）ピピピピピ（C）

国内分布 北〜九　**国外分布** 北亜・東亜東部・東南亜（繁）東南亜・豪（冬）

見られやすさ ふつう　**観察適地** ②③⑥⑫⑬⑮⑯⑰⑱など

カッコウとは目の色が異なるためか
やさしげな印象の面もちに見えます

CHECK! 目の色はオレンジ色
まわりに黄色いリング

背面の色はカッコウよりも
少し濃い印象があります

頭から胸は淡いグレー。胸から下は
白く、太く黒い横斑が広めの間隔で
並びます（カッコウより粗い印象）

足は黄色

おしりは白地に
黒い横斑

森の鳥なので草原や農地などでは
あまり見かけません

頭にも黒い横縞

カッコウ類は毛虫が大好物

頭から尾まで全身が赤褐色
黒い横縞におおわれています

♀にはまれに赤色型が見られます
カッコウの幼鳥にもこれに似たタイプがいますが後頭部に白斑が目立ちます

尾羽の先は黒く先端は白い

♀

見た目はカッコウそっくり。さえずりは名の通り「筒を叩くような」独特の響きのある声です。托卵先は主にウグイスとセンダイムシクイ。前者は紅い卵、後者は白い卵を産むのに、北海道のツツドリはそのどちらにも紅い卵を産み込みます。ムシクイ類が自分の抱く卵の色にほとんど頓着しないことを知っているのでしょうか。カッコウ類の下面にある鷹斑（たかふ）と呼ばれる縞模様のデザインや飛んでいる姿は、猛禽のハイタカ類を想わせます。捕食者に姿を似せることで托卵相手を脅かし、その隙に卵を取り替えようとしているのです。

目は黒っぽく見えます

◉幼鳥

羽の縁は茶褐色

幼鳥（巣立ちビナ）は親とはまったく似つかない黒い姿をしています

カッコウ類

◉ツツドリ飛翔（腹面）

◉カッコウ飛翔（背面）

◉カッコウ飛翔（腹面）

◉ハイタカ飛翔（腹面）

背中側の灰褐色、尾の長い飛翔形。羽とおなかの横縞模様などカッコウ類はハイタカ類やハヤブサ類に姿を似せています

周年

タカ目タカ科

ハイタカ *Accipiter nisus nisosimilis*

漢字名	灰鷹／鷂	中国名	雀鷹／鷂	英名	Eurasian Sparrowhawk
サイズ	♂32／♀39／W60－79	雄雌差	あり	食べもの	鳥類・小動物
鳴声	キッ，キッ，キッ／キィキィキィ／キョキョキョ／ケケケケケ／ケッケッケッケッ				
国内分布	北～九（繁）全国（冬）	国外分布	ユーラシア（繁）北アフリカ（冬）など		
見られやすさ	まれ	観察適地	②③⑥⑨⑪⑭⑰㉑など		

♀ 成鳥

♀は胴回りが全体にがっしりした印象ですが羽毛をふくらませているとよくわかりません

ハイタカ類

♂ 成鳥

シャープな印象のある小型のタカ類。オスはメスよりも小さく、胸やおなかの赤橙色味が濃い、美しいタイプがいます。ただ色やサイズには個体差があり、特に単独で飛んでいるものの性別はわかりにくいのですが、ペアで高空を旋回する春の求愛飛翔時ならば、遠目にも雌雄差がわかりやすいでしょう。冬は同じ地域に留まるもの、南へ渡るもの、山から移動してくるもの、北方から南下してくるものなどがおり、目にする機会も増えます。住宅地のアンテナにとまっていたり、庭の餌台に現れたりすることも。スズメやカワラヒワなどを狙うハンターで、飛び立った小鳥を空中で捕獲するのはお手のもの。逆に近縁種オオタカ(次項)に捕食されることもあり、その難を避けるためか、子育ては主に大型種の入り込みにくい密生したトドマツ林などで行います。

周年

タカ目タカ科

オオタカ *Accipiter gentilis fujiyamae*

漢字名 蒼鷹	中国名 蒼鷹	英名 Northern Goshawk
サイズ ♂45 / ♀50 / W98 – 124	雄雌差 ややあり	食べもの 鳥類・小動物
鳴声 キャッ, キャッ, キャッ / ケッ, ケッ / ケーケー		
国内分布 北海道〜四国（繁）九州〜沖縄（冬）	国外分布 ユーラシア・北米	
見られやすさ まれ	観察適地 ③⑥⑦⑧⑨⑩⑪⑭⑰㉑など	

♂より♀の方が大きいのは多くの猛禽類に共通した特徴です

ハイタカ類

ダンディで美しい精悍なタカ。札幌では北部の防風林や南部の山麓林などで子育てし、冬は河川敷や湖沼など開けた場所によく現れます。まれに市街の公園にも姿を見せるのはドバトを狙ってのことでしょうか。ハンティングの対象は主に小〜中型の鳥ですが、水辺でカモ類を襲ったり、意外な脚力で林床を駆けてネズミを捕えることもあります。オスは巣のある地域に周年留まることが多いのに対し、メスや若い鳥はかなりの距離を移動、特に幼鳥は本州以南にも渡ることが知られています。

CHECK! 幼鳥や若い個体のおなかは黄色味がかった淡茶褐色で黒斑が横斑ではなく縦斑です

尾羽を広げると扇形になります

足は年齢を問わず黄色く目立ちます

◉幼鳥

幼鳥は成鳥と色あいが異なります。1歳までは全体に茶褐色で、おなかの黒斑が縦斑です。1歳から2歳にかけてだんだん横斑になっていきますが、間隔が粗くてV型斑も混じり、全体もまだ褐色味を帯びています。2歳から3歳になってようやく成鳥の姿となります。成熟に2年かかるのです。しかしメスの中には生まれた翌春から子育てに入る個体も見られます。

黒いアイマスクはまだありません
白く太い眉ラインが目立ちます

背中側も成鳥とはまったく異なった茶褐色の色あいです

羽に白い部分があり白斑がちりばめられているように見えます

尾羽の太い黒帯はくっきりしています

ハヤブサ目ハヤブサ科

周年

ハヤブサ *Falco peregrinus japonensis*

漢字名 隼　**中国名** 遊隼／鶻　**英名** Peregrine Falcon

アイヌ語名 チカㇷ゚コイキチㇼ cikap-koyki-cir（鳥・捕る・鳥）ほか

サイズ ♂42／♀49／W84－120　**雌雄差** ほぼなし　**食べもの** 鳥類・小動物

鳴声 ケーッ，ケーッ／クワッ，クワッ／キッキッキッキッキッ／キィキィキィキィキィ

国内分布 北海道〜九州（繁）全国（冬）　**国外分布** 全世界

見られやすさ まれ　**観察適地** ⑦⑧⑩⑪㉑など

◉成鳥

CHECK! 目の下によく目立つ黒い模様があり「ハヤブサひげ」と呼ばれています

目が黒くやさしい感じの顔つきでオウムやインコを想わせます

ノドから胸は白い

おなかには黒い横縞が密に並んでいます

ハヤブサ類は飛翔時に翼の先をあまり開かないので尖って見えます

水鳥をねらって河川敷や湖沼などオープングラウンドに現れることが多いほか、ドバトをターゲットに市街の公園に姿を見せることも

◉成鳥

海岸や山の崖地などで子育てをしています。近年では高層ビルや鉄塔を「断崖」に見立て、市街地に進出する個体もいるようす。かつてはタカに近い鳥とされていましたが、近年の研究によりインコに近い仲間であることがわかりました。確かにかわいらしい顔つきをしています。とはいえやはり猛禽類、上空から急降下して飛んでいる鳥を脚で蹴り落とすというハンティングはダイナミックにして華麗。スピード飛行のみならず帆翔力にも優れ、上空高く舞い上がります。そして獲物が通るのを旋回しながら待つのです。

◉若鳥

目のまわりやクチバシ基部の黄色味がほとんどありません

若鳥は背が黒褐色で羽の縁が茶褐色です
おなかには黄色味があって黒く太い縦斑が目立ちます

若鳥でも脚は黄色

ハヤブサ目ハヤブサ科

チゴハヤブサ *Falco subbuteo subbuteo*

漢字名	稚児隼	中国名	燕隼 / 蟲鷂	英名	Eurasian Hobby
サイズ	♂34 / ♀37 / W72－84	雌雄差	ほぼなし	食べもの	昆虫・小鳥・コウモリ類
鳴声	キュッキュッキュッ/キーキーキー/キーッキキキキキッ/ケッ, ケッ				
国内分布	北～本州中部(繁) 全国(通過)	国外分布	ユーラシア(繁) 東南亜ほか(冬)		
見られやすさ	ややまれ	観察適地	⑤⑥⑧⑨⑩⑪⑬⑰⑲⑳㉑など		

◉成鳥

飛翔形が遠目にはアマツバメ類に似ています
見慣れないと間違えやすいかもしれません

春から初夏、住宅地の緑地や神社林、防風林などにやってきます。自分では巣をつくらず、カラスの古巣を利用して子育てをする身近な猛禽類。スズメなどの小鳥やトンボなどの昆虫類、どこでどう捕まえてくるのかコウモリ類もよく食べています。巣立ちしたばかりの若鳥は、まだ自力でうまく獲物を捕食することができません。そのためしばらくは親鳥に養われます。晩夏から初秋、高圧線の鉄塔の上などで騒がしく鳴きながら親鳥に食べものをねだる幼鳥の姿が見られるようになると、越冬地への渡りも間近です。

アマツバメ目アマツバメ科

ハリオアマツバメ *Hirundapus caudacutus caudacutus*

漢字名	針尾雨燕	中国名	白喉針尾雨燕	英名	White-throated Needltailed Swift
サイズ	21センチ	雌雄差	なし	食べもの	昆虫類
鳴声	ジュリリリリ/ツィリリリ/ビュルルル/ピルルッ				
国内分布	北～本中部(繁) 全国(通過)	国外分布	東亜東・北亜東(繁) 豪(冬)		
見られやすさ	ふつう	観察適地	③⑥⑦⑧⑩⑮⑯⑱㉑など		

◉背面

数羽から数十羽の群れで飛翔していることが多いです

大型のツバメ類という印象ですが、実はまったく別のグループの鳥です。飛行生活に特化しており、採食も水浴も、なんと交尾までも空中で行うという徹底ぶり。睡眠さえ飛びながら行うとされるのですが、さすがにちょっと想像できません。寝ているうちに、どこかにぶつかったりはしないのでしょうか。夕立前に低く空を飛ぶので「雨燕」、尾羽の先に針状の突起があるので「針尾」とされます（尾羽を張って飛ぶので「張尾」と思われがちです）。鋭く尖った硬い尾先は、樹の幹にとまるとき体を支えるのに役立つのでしょう。すらりと長い鎌形の翼を広げて飛び交う姿が、札幌では豊平川上空などでふつうに見られます。樹木の豊かな公園の池に現れたり、街中でもふと空を見上げると、思いがけず十数羽の群れが舞っていたりもします。

アマツバメ類

大きく口を開け水面すれすれに飛ぶ
ハリオアマツバメ

ハリオアマツバメが、その小さくて短いクチバシをかぱりとあけると、まるで「がま口」を開いたように大きくなります。そのまま公園の池や川の水面を、ものすごい速度で往ったり来たり。水上を浮遊する虫たちを吸い込むように捕食したり、下クチバシですくいあげるように水を呑んだり、時には水浴をしてみたり。彼らの子育ての場は神社林や防風林、校庭や牧草地などの孤立木の樹洞。頬やノドにためた昆虫をヒナたちに運ぶ際、高速飛行のままダイナミックに巣穴へと飛び込んでいきます。特に巣材は用いず、卵やヒナは樹洞の底に転がされたまま。鳥の本で「飛びながら集めた空中の枯草や植物片を、粘着質の唾液で固めて椀形の巣をつくる」とよく紹介されるのは、海岸や山の断崖の亀裂で子育てをする近縁種アマツバメ（次項）のことではないかと思われます。こちらはハリオアマツバメほどには目にする機会がないものの、渡りの時季には街中でも高空を群れ飛ぶ姿が見られます。

夏鳥

アマツバメ目アマツバメ科

アマツバメ　キタアマツバメ　*Apus pacificus pacificus*

漢字名　北雨燕　**中国名**　白腰雨燕 / 叉尾雨燕　**英名**　Pacific Swift

アイヌ語名　ルヤンペチカプruyampe-cikap（雨・鳥）ほか

サイズ　20センチ　**雌雄差**　なし　**食べもの**　昆虫類

鳴声　チュリリ，チリリリ

国内分布　北〜九（本亜種は北海道のみ）　**国外分布**　北亜・東亜（繁）東南亜・豪（冬）

見られやすさ　まれ　**観察適地**　③⑦⑧⑩⑪⑮⑯⑰など（高空に出現・通過）

スズメ目ツバメ科

夏鳥

ショウドウツバメ *Riparia riparia ijimae*

漢字名 小洞燕　**中国名** 崖沙燕 / 土燕子　**英名** Sand Martin

アイヌ語名 トイトゥムンチカㇵ toy-tumun-cikah（土・中・の・鳥）ほか

サイズ 13センチ　**雌雄差** なし　**食べもの** 昆虫類

鳴声 ジィジジジジ，ビィジジジジ/ジュッ，ジュッ，ジュッ/チュリッ，チュリッ

国内分布 北海道（繁）全国通過　**国外分布** ユーラシア・北米（繁）東南亜・南米（冬）

見られやすさ 繁殖地でふつう　**観察適地** ③⑦⑧⑩⑪⑮⑯⑰など

シルエットはイワツバメ(次項)に似ています。飛ぶスピードは遅く、ツバメのように滑空することも少ないヒラヒラした感じの飛び方。河岸段丘や海岸段丘など、水辺に近いやわらかな土の崖にペアで協力して巣穴を掘り、集団で子育てをしています。水域から離れた山中の採掘現場跡を利用することも。北半球の温帯地域に広く分布し、冬は東南アジアなどで越冬するため、春と秋には本州各地を通過していきます。それだけの飛翔力がありながら、なぜか国内では北海道でしか子育てをしていません。札幌では北部の湖沼周辺や石狩川の下流域などが観察適地です。

スズメ目ツバメ科

夏鳥

イワツバメ *Delichon dasypus dasypus*

漢字名 岩燕	中国名 烟腹毛脚燕 英名 Asian House Martin
アイヌ語名	ペシトリヤンカ pes-toriyanka（崖・トリヤンカ）
サイズ 13センチ	雌雄差 なし 食べもの 昆虫類
鳴声	ピチュルピチュルピチュル(S) ジュルジュリ，ピィ，ピィ，ジュリジュリ/ツィー (C)
国内分布 北〜九	国外分布 ユーラシア・北アフリカ(繁) 南アフリカ・南亜・東南亜(冬)
見られやすさ ふつう	観察適地 ⑦⑧⑩⑪⑭⑮⑯⑰㉑など

巣の外壁材は泥が中心で、巣の近くの水田や水たまりから運んできますが、内部には森に暮らす鳥の羽が使われることもあり、巣材集めの範囲は案外と広いのかもしれません

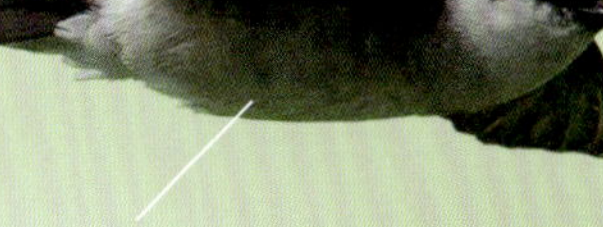

尾はごく浅い凹尾で広げるとバチ型にも見えます

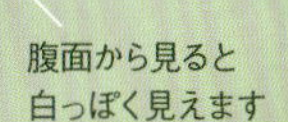

北海道ではもっともポピュラーなツバメ。大きな建造物の壁、橋げたや高架下などに巣を密集させたコロニー（集団営巣地）をつくっています。渡来直後には、他に空いている巣がたくさんあっても、ひとつの巣をめぐって争いが起こります。なにか他より好適な条件があるのでしょう。巣以外のねぐらは見つかっておらず、アマツバメ類のように飛びながら寝ているのではないかとも考えられています。日本で子育てをしている亜種の越冬地は東南アジアと見なされていますが、はっきりとは確かめられておらず、身近なツバメながら案外とナゾめいた部分もあるようです。

CHECK! 飛ぶと腰の白がよく目立ちます

スズメ目ツバメ科

ツバメ *Hirundo rustica gutturalis*

漢字名 燕　**中国名** 家燕　**英名** Barn Swallow	
アイヌ語名 アㇷ゚トチカㇷ゚ apto-cikap（雨・鳥）※アマツバメか？	
サイズ 17センチ　**雌雄差** ほぼなし　**食べもの** 昆虫類	
鳴声 ピチックチュッ，ピチュチ，ジリリリリ，ギチギチギチ(S) チュビッ，ツピッ，チピイッ(C)	
国内分布 北〜九　**国外分布** ユーラシア・北米他(繁) 東南亜・印・南米他(冬)	
見られやすさ ふつう　**観察適地** ⑦⑧⑩⑪⑰など	

比較するとオスの尾羽はメスよりもやや長いそうで、ヨーロッパのツバメのメスは、より尾の長いオスを好むといいます。いっぽう日本ではノドの赤みが強く、尾羽の白斑の大きなオスがモテるのだそう。ツバメも国によって「イイ男」の基準が違うというのは面白いですね。北海道では、かつて道南や太平洋側を中心に見られる渡り鳥でしたが、近年では札幌でも豊平川などでふつうに見られるようになりました。道南では本州と同じく家屋に、道央では牛舎に巣をかけることが多いようです。

タカ目タカ科

周年

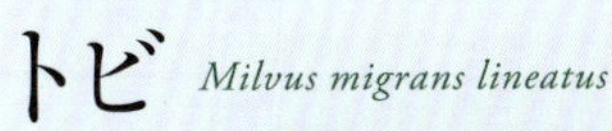

トビ *Milvus migrans lineatus*

漢字名 鳶　**中国名** 黑鸢 / 老鹰　**英名** Black Kite

アイヌ語名 ワトッタカムイ watotta-kamuy（トビ・神）

サイズ ♂59 / ♀69 / W157 – 162　**雄雌差** ほぼなし　**食べもの** 死肉・小動物・鳥類

鳴声 ピィーヒョロロロロー, ピーヒョロー, ピューィ/ピィーッピツピツ, クィー

国内分布 北海道〜九州　**国外分布** ユーラシア・アフリカ・オーストラリア

見られやすさ ごくふつう　**観察適地** ほぼ全域

タカ類

鳴声でも有名な、一般に「トンビ」と呼ばれる身近なタカ類。札幌のビル街の上空を、くるくるまわりながら飛んでいる姿も見かけます。生きた動物よりは腐肉を好むあたりはカラス&カモメチック。そのカラスにしょっちゅうちょっかいを出され、迷惑そうにしています。時に限度をわきまえなかったものが返り討ちにあい、食べられてしまったりすることも。ふだんは温厚、けれど怒らせるとコワい。やさしげな顔つきをしていても、やはり猛禽は猛禽なのでしょう。子育ては郊外の林で毎年同じ巣を使って行われ、巣材には人間の出したゴミもよく利用されます。特に「産座」と呼ばれる卵の置かれるところには、軍手や下着などの布製品が目立ちます。

背中から翼の上面に淡黄褐色の
模様が顕著です。両翼上面の斑が
遠目には逆ハの字型に見えます

若い個体は頭全体が
白っぽいので黒いアイマ
スクがより目立ちます

◉若鳥

この部分の羽先の白が黒い羽と
コントラストをなし、遠目には
きれいなラインとなって見えます

タカ類

しばしば群れをなし、気流を利用して
輪を描くように上昇していきます

幼鳥は盛夏の頃より分散をはじめます。道内全域をめぐるもの、本州に渡って冬を越し、翌春また戻ってくるものなどさまざまです。上昇する気流や吹き上げる風を利用して、旋回しながら上昇。空の高みから滑り降りるようにして飛んでいき、また気流を見つけては高度を上げるということをくりかえしつつ移動していきます。上昇気流の発生する場所は限られるため、他の個体もそこへ集まってきます。するとたくさんのタカたちが柱状に舞い上がる「鷹柱」が現れます。これはノスリやハチクマなど、秋に南方へ渡っていくタカ類によく見られるものですが、トビの場合、集団ねぐらに戻る前にも集まり、群れで帆翔しています。

タカ目タカ科

ノスリ *Buteo japonicus japonicus*

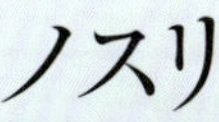

漢字名 鵟	**中国名** 普通鵟／土豹	**英名** Japanese (Eastern) Buzzard			
サイズ ♂52／♀56／W122－137	**雌雄差** ほぼなし	**食べもの** 鳥類・小動物・昆虫			
鳴声 ピーエー，ピーエー／ピィーヨ，ピィヨー／ピョッ，ピョッ，ピョッ					
国内分布 北海道〜四国(繁) 全国(冬)	**国外分布** ユーラシア(繁) アフリカ・南亜(冬)				
見られやすさ ふつう	**観察適地** ③⑥⑦⑧⑨⑩⑪⑫⑮⑯⑰⑱㉑など				

◉成鳥

黒いヒゲ状の模様があります。形や濃淡は個体によりさまざま

目は黒くやさしい顔つきに見えます

頭頂から後頭に縦斑があります

おなかのバンドの上下は白っぽい

CHECK! おなかの中央に茶褐色の太いバンド模様が目立ちます。形や色調、濃淡には個体差があります

背中側は全体に茶色っぽく見え、羽の縁の淡黄褐色や白斑が目立ちます

タカ類

◉若鳥

トビに次ぐおなじみのタカ類。草地や農耕地の電線や電柱、杭の上などにとまってじっとしている姿を見かけます。ネズミを狙っているのです。カエルやトカゲを捕ったりもします。よく響くカン高い声で鳴くので、声がしたら空を見上げてみましょう。尾羽を扇形に開いて帆翔する、白っぽい姿が目に入ってきます。はばたきながら空中で停止、ふわりと舞い降りたかと思うと、足には獲物が押さえ込まれています。ハンティングに成功し、地上で大きく羽を広げたさまは、まさに「野を擦る」タカ。平地から山地にかけて広く見られ、札幌では防風林や山麓の森などに枯枝を積み重ねた大きな巣をかけ子育てをしています。冬は留まるもの、南方へ渡るもの、雪の少ない太平洋側に移るもの、北方から渡ってくるものなどさまざまです。

外側の翼の4〜5本が
黒く目立ちます
背面は全体に茶褐色
◉成鳥
ここに白斑が出ます
羽先が黒っぽいため、翼の後
縁が黒いライン状に見えます

腹面は全体に白っぽく
遠目には白いタカに見えます
カラスと同じくらいの大きさです

タカ目タカ科

夏鳥

チュウヒ *Circus spilonotus*

漢字名 沢鵟	中国名 白腹鷂 / 東方澤鷂	英名 Eastern Marsh Harrier
サイズ ♂48 / ♀58 / W113 – 137	雄雌差 あり（多様）	食べもの 小動物・鳥類
鳴声 ピュー / キューイ / ミュアー / ミュー / ケッケッケッ		
国内分布 全国（繁）本州以南（冬）	国外分布 ロシア極東・中東北部（繁）東南亜（冬）	
見られやすさ まれ	観察適地 ⑦⑧⑩⑪など	

翼をV字型に立て、湿原の上空を低く、ゆったりと飛びます。ネズミなどの獲物を見つけるとふわりと舞い降りて捕食。性や年齢によって羽の色はさまざま。全体に茶褐色のものもいれば、白黒のものもいます。特に幼鳥は、遠目には真っ白に見えるタイプもあり、別の種類のように見えることもしばしば。札幌では豊平川下流や石狩川下流の河川敷に残されたヨシやササの生い茂る地上に巣をつくり、子育てをしています。湖沼の上空にも姿を見せ、春にはペアの求愛飛翔が見られます。

夏鳥

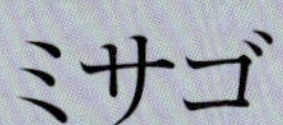

タカ目ミサゴ科

ミサゴ *Pandion haliaetus haliaetus*

漢字名 鶚	**中国名** 鶚 / 魚鷹	**英名** Osprey			
サイズ ♂54 / ♀64 / W155 – 175	**雄雌差** ややあり	**食べもの** 魚類			
鳴声 ピョッ, ピョッ, ピョッ, ピョッ, ピョッ					
国内分布 北〜九（繁）全国（冬）	**国外分布** 北半球・豪（繁）アフリカ・南米（冬）				
見られやすさ まれ	**観察適地** ⑦⑧⑩⑪㉑など				

白と黒のコントラストが美しい優美なタカ。海岸のほか、豊平川や石狩川の下流域、モエレ沼、山間のダム湖、まれに公園の池などにも飛来し、水上を飛び回って魚を探しています。停空飛翔で狙いを定めると翼をすぼめ急降下、水面近くですかさず両脚を前方に伸ばし豪快にダイビング。足の裏にはトゲがあり、鋭い爪と共にぬめった魚をつかみやすい構造となっているあたりは、さすが魚食専門の鳥。深いところでは完全に水中へ没してしまうこともありますが、潜水することはありません。

タカ目タカ科

オジロワシ *Haliaeetus albicilla albicilla*

漢字名	尾白鷲　**中国名** 白尾海鵰　**英名** White-tailed Eagle
アイヌ語名	オンネウ onne-p（老大な・もの）ほか
サイズ	♂83 / ♀92 / W199 – 228　**雌雄差** ほぼなし　**食べもの** 鳥類・哺乳類・魚類
鳴声	カッ, カッ, カッ, カッ/クワッ, クワッ, クワッ/グアラー, グアラー, キャキャキャキャキャキャ
国内分布	北海道（繁）北日本（冬）　**国外分布** ユーラシア北部
見られやすさ	ややまれ　**観察適地** ⑧⑩㉑など

◉成鳥

CHECK! 頭は白い頭巾をすっぽりかぶったような印象です。首まわりの羽毛が老いた獅子のたてがみのようで風格があります

歳を重ねるごとに頭の白さがきわだち、古武士あるいは老賢者のような風貌となります。尾羽の白さも老いた個体の方がより鮮やか。枯淡の風景がよく似あう風格ある海鷲なのですが、基本的にはスカベンジャーと呼ばれる腐肉食の鳥なので、生きた魚や水鳥を捕えることがあっても動きはいささか鈍重です。ゴミ処理場のまわりをうろうろしていたり、エゾシカの死体を目当てに山中の森に現れるものもいます。札幌では豊平川の河跡湖であるモエレ沼などで毎年数羽が越冬しているほか、近年では周辺の防風林で子育てもしており、夏季に成鳥や若鳥を目にすることも珍しくなくなりました。たまにJR札幌駅の上空をのんびりと舞っていることがあります。

ワシ類

CHECK! 名の由来となった純白の美しい尾羽は、飛んでいる時、それもやや逆光気味に透かし見る時が最も映えます

冬鳥

タカ目タカ科

オオワシ *Haliaeetus pelagicus pelagicus*

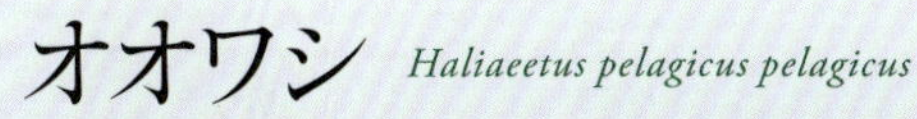

漢字名 大鷲 **中国名** 虎頭海鵰 **英名** Steller's Sea Eagle	
アイヌ語名 カパッチｨカムイ kapatcir-kamuy（ワシ・神）	
サイズ ♂88/♀102/W220－250 **雌雄差** ほぼなし **食べもの** 鳥類・哺乳類・魚類	
鳴声 グワッ，グワッ，グワッ，グワッ/キャキャキャキャキャ	
国内分布 北海道・本州中部以北日本海側（冬） **国外分布** ロシア極東（繁）朝（冬）	
見られやすさ まれ **観察適地** ⑧⑩㉑など	

CHECK! クチバシはオジロワシよりも大きく、濃い黄色

ワシ類

◉若鳥
翼縁はまだら模様で成鳥
のように白く目立ちません
翼の下面の白斑は幼鳥より
目立たなくなります
黄色いクチバシは飛んでいる
時もよく目立ちます。黒い部分
がほとんどなくなっています
尾はまだら模様
CHECK!
翼の裏面に大きな帯状の白斑が出
るのが若いオオワシの特徴です
◉幼鳥
クチバシは若くても
黄色く、先端が黒い
尾はまだら模様

◉成鳥

◉幼鳥

翼を広げると2メートルを超える大型の猛禽。全身の黒、肩と尾の白、大きなクチバシの鮮やかな黄色が目立ち、風景から浮かび上がるようです。いかつい顔つきながらアップで見るとちょっとユーモラスな印象も。子育てはカムチャツカを主とした極東ロシアだけで行い、北海道へは冬に南下してくるものが見られるのみ（若鳥は日本海沿いに西日本まで移動していきます）。分布域の狭さから「極東の海鷲」として知られ、海外のバードウオッチャーにとっては憧れのまと。主に魚類を捕食するため、海岸や大きな川沿いから離れて生活することはありませんが、時どき海から遠くない山中に、死んだエゾシカの肉をもとめてオジロワシと共に現れます。

フクロウ目フクロウ科

フクロウ　エゾフクロウ　*Strix uralensis japonica*

漢字名　蝦夷梟　**中国名**　長尾林鴞 / 夜猫子　**英名**　Ural Owl

アイヌ語名　クンネレッカムイ kunne-rek-kamuy（夜・鳴く・神）

サイズ　L50 / W98　**雌雄差**　なし　**食べもの**　哺乳類・鳥類・両生爬虫類

鳴声　ホゥ，グルックホーホー / ゴッホ，ウォーウォー (S) ギャー / ゴウッゴウッ / ギャウッ (C)

国内分布　北〜九（本亜種は北海道のみ）　**国外分布**　ユーラシア・サハリン・朝鮮半島

見られやすさ　まれ　**観察適地**　②③⑥⑫⑬⑭⑮⑯⑰⑱など

深い森の奥に棲む夜の鳥。そんなイメージの強い鳥ですが、郊外の防風林や神社の林など案外と身近なところでも暮らしています。餌となる生きものが豊かで、巣となる樹洞があれば、夕暮れ時に声が聞こえてくるかもしれません。昼間に鳴いたり、飛ぶ姿を目にすることもあります。主食はノネズミやモモンガ、小鳥類など。雨の夜はガードレールにとまって車道に出てくるカエルを狙います。子育てにタカ類の古巣や伐り株を利用することもしばしば。アイヌ民族の伝承では、猟の際にクマの居場所を鳴声で教えてくれる「神の鳥」なので、シマフクロウと混同している人もいるようです。「エゾ」という名称は「フクロウ」という「種」の、北方産の「亜種」を表していますが、近年の研究から別種とされる可能性が高くなりました。本州のものとは鳴き方が微妙に異なるという指摘もあります。

フクロウ類

巣立ったばかりのヒナは、しばらくは巣のある樹のまわりで過ごします。時どき樹の下に落っこちているものもいます。まだ飛べないうちから巣穴の外へ出てしまったのでしょう。爪を使って器用に幹を這い上がり、葉陰で親鳥が来るのを待つものもいれば、そのまま地面に座り込んで動かないものもいます。

樹洞は、森に暮らす生きものにとっての貴重なすまいです。子育てやねぐらに利用するフクロウはその代表的な鳥でしょう。何年も同じ洞を使っているペアもいます。大きな樹洞ができるには、長い歳月がかかります。風や雪、雷などで幹や枝が折れ、材を腐らせる菌類が侵入し、昆虫の活動も手伝って、ようやく形づくられていくのです。当然、数には限りがあります。フクロウは、テンやアライグマなどと競合したり、交互に利用しあったりしています。樹洞の豊かさは、そのまま森の「成熟度」を示しているともいえるでしょう。またフクロウの巣には、糞やペリット（不消化物の固まり）、食べ残しなどがたくさんあるにもかかわらず、ヒナにとって衛生的に害のない環境が保たれています。「清掃者」としての役割を持った昆虫や菌類が、そこで共に暮らしているからです。樹洞とは、目には見えないような小さな生きものたちと、大型の鳥やけものたちとの共生の舞台となっているのです。

キジ目キジ科

 周年

エゾライチョウ *Tetrastes bonasia vicinitas*

漢字名	蝦夷雷鳥	中国名	花尾榛雞 / 樹雞	英名	Hazel Grouse

アイヌ語名　フミルイ humi-ruy（その音・烈しい）ほか

サイズ　36センチ　　雌雄差　あり　　食べもの　種子・果実・木の芽・昆虫類

鳴声　ピーッ，ピッ，ピッ，ピッ / ピューイ，ピュピュピュピュー / ツイーッ，ツイッ，ツイッ

国内分布　北海道　　国外分布　ユーラシア北部・中東北部・朝鮮半島・サハリン

見られやすさ　まれ　　観察適地　⑮⑯⑱など

冠羽と呼ばれる頭の立った羽毛は♂♀共に見られます

CHECK!　♂♀共に目の上に紅い部分があります

目の後に白斑があります

♀のノドは♂のようにベタな黒斑がなく、まだら模様です　または下部のみが黒い

首まわりから背にかけて黒い黄斑が密に並びます

地上をスタスタとよく歩きます　走るのも早いです

肩に白と黒の帯状の斑がありますが黒い部分は見えにくいこともあります

背から腰は灰褐色で黒い斑がちりばめられています

足は羽毛に覆われています（指には見られません）

♂の顔の赤・白・黒の配色はどこ
となくインディアンを想わせます
オレンジ色の羽がきれい
尾羽の先端は灰白色
その内側の黒い帯状の
部分がよく目立ち、飛ぶと
顕著（中央部を除く）
CHECK! ♂はノドの黒斑が
大きく目立ちます
♂
CHECK! 白地に黒と赤褐色の三日月斑
からなるうろこ模様が特徴です
◉幼鳥（巣立ちビナ）
ヒナは生まれてすぐ歩きはじめ、木の上
にもあがります。小さなうちはニワトリの
ひよこに黒斑が混じったような感じです
◉若鳥
目の後方の白線が延び
ノドの黒味はうっすら淡く
顔の白さが目立ちます
背と腰は灰褐色
山の林道をよく歩いています
首まわりから横腹にかけての
赤褐色のうろこ模様は野性味
ある美しさです

キジ類

鳴いているところ
胸を大きく張り、首をすぼめたスタイルでさかんに発声します。口の中は真赤です

♂

道内では「山鳥」と呼ばれる、冬も白くならないライチョウ。札幌では西南部の山の林道などで稀に出逢います。ナワバリ宣言とメスへの求愛のため、春から初夏にかけ樹上でよく鳴いています。五円玉を口に当てて吹いたようなよく響く高音で、それに対し別のオスが鳴き返してきたり、大きな羽音を立てるドラミングで応じてきたりすることも。羽ばたき音を立てつつ、地上を跳ね飛ぶタイプのディスプレイを観察できたら幸運です。メスが卵を抱くようになるとオスはどこかへいってしまい、子育てはメスのみ。ヒナは家族と群れで暮らし、初秋には親鳥とほぼ同じ背格好にまで成長しています。夏は樹上で、冬は雪中にもぐって眠ります。雪の断熱効果を利用しているのでしょうか。いかにも北国の鳥らしい行動です。

尾と翼を半開きにし、黒いノドをケバ立たせ、首を伸ばした低い姿勢で威嚇のディスプレイをしているところです
この行動は春先によく見られます

♂は春になると目の上の紅がより目立つようになります

♂

キジ目キジ科

タイリクキジ　コウライキジ　*Phasianus colchicus karpowi*

周年

漢字名	大陸雉（高麗雉）　**中国名** 環頸雉　**英名** Ring-necked Pheasant
サイズ	♂80/♀60センチ　**雌雄差** あり　**食べもの** 草芽・種子・昆虫類
鳴声	ケン，ケーン/ケン，ケーン，ドロロロ（ドラミング）/クッ，クッ（C）
国内分布	北海道（移入種）　**国外分布** ユーラシア・北アメリカ
見られやすさ	まれ　**観察適地** ⑦⑧⑩⑪⑫⑫⑮⑰㉑など

キジ類

オスの美麗な羽はまさに錦の衣装。地上で卵を抱かねばならないメスは、敵に見つからないよう地味な色あいをしています。とはいえ実に和的で端正な美しさ。春、そんな貴婦人のようなメスに、顔の赤い部分をふくらませたオスが求愛します。オス同士ではナワバリをめぐる激しい争いが起こります。鋭い蹴爪を武器とした、絢爛たる衣装での取っ組みあいはなかなか壮観。もともとキジは北海道には分布していない鳥でした。昭和初期と中期に狩猟鳥として持ち込まれた中国の亜種が定着し、現在では道南や道央の平野を中心に分布しています。冬、郊外の住宅地の庭へイチイの実や小鳥の餌台のおこぼれを頂戴しに、どこからともなくひょっこりと姿を見せ、そのまま常緑樹の庭木の中にもぐり込んで眠っていくこともあります。

♀

CHECK! 「キジ模様」と呼ばれる淡い赤褐色の羽と黄褐色の縁取りとのコントラストがおしゃれです

顔に赤い部分はなく目は黒い

♀の尾羽は♂より短いです

尾羽の模様も♂と異なります。地味ながら枯淡の美があります

全体に淡黄褐色
ワキにやじり型の黒斑があります

カモ類

カモ目カモ科

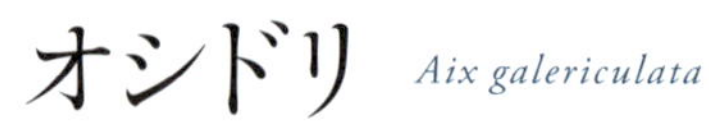

オシドリ *Aix galericulata*

漢字名 鴛鴦	中国名 鴛鴦 / 鄧木鳥 英名 Mandarin Duck
アイヌ語名	チライマチリ cirayma-cir（イトウ・鳥）/ オケフレ okehure ほか
サイズ 45センチ	雌雄差 あり 食べもの ドングリなど木の実・水生昆虫
鳴声	ビュイー，ビュイー / ピュピュピュピュ（♂）ケェーッ，ケエーッ / ウィップ / クアッ（♀）
国内分布	北〜本州中部（繁）本州以南（冬） 国外分布 ロシア極東・中東北部・朝
見られやすさ ふつう	観察適地 ①②④⑥⑩⑭など

樹木の豊かな水辺に暮らし、好物はドングリ。そして子育ては樹洞という「森の水鳥」。クマゲラの古い巣穴を利用した例も。秋から冬の求愛シーズンを迎えると、オスはあでやかな衣装を誇示してメスの気を引きます。ふだんは寝かせた冠羽を逆立て、銀杏型の飾り羽を帆のように起こした華麗なディスプレイ。ところがメスが卵を抱きはじめたとたん「お役御免」とばかりオスは無関心に。ただし食事のため巣穴から出てきたメスを、しばらくの期間エスコートするくらいの律儀さは持ち合わせているようです。一般には「おしどり夫婦」として知られるものの、「実はそうでもない」説と「やはり夫婦愛は強い」説とがあります。とはいえヒナたちの面倒はすべて母鳥の仕事。札幌では市街地の公園の池でも子連れのメスが見られます。

♂ エクリプス　子育てを終えた後のカモ類の♂の羽が、次の求愛シーズンまでの間、一時的に♀に似た地味なものに変化する状態をいいます

冬鳥 周年

カモ目カモ科

コガモ *Anas crecca crecca*

漢字名 小鴨		**中国名** 綠翅鴨 / 小水鴨		**英名** Green-Winged Teal	
サイズ 37.5センチ		**雌雄差** あり		**食べもの** 水草・種子	
鳴声 ピピリッ, ピリッ, ピリリッ / ピッピッー (♂) グェーッ, グェッグェッ / クワッ, クエッ (♀)					
国内分布 北〜本中部(繁) 全国(冬)			**国外分布** ユーラシア・北米(繁) 南亜ほか(冬)		
見られやすさ ふつう		**観察適地** ②④⑤⑥⑧⑩㉑など			

名の通りの小型のカモ。公園の池などでも見られます。越冬するもののほか、春と秋に立ち寄っていく（通過していく）だけの個体も。小春日和のあたたかい日には、1羽のメスのまわりを何羽ものオスが囲むようにして泳ぎ、首を伸ばしたり縮めたり、さかんに尾を持ち上げたりする求愛のディスプレイを観察することができるでしょう。オスがおしりにある黄白色のデザインを誇示するポーズが見どころ。木や草の実を好み、水面に張り出した木の下に何羽もが集まって、落ちてくる種子をすくいとるように食べていることもあります。オスは水上から飛び立つ際、鋭く澄んだ声で鳴きます。いっぽうメスの声は濁った声（いわゆるダックコール）です。多くは北方からの渡り鳥ですが、夏でも山地の湖沼などで少数が見られることがあり、札幌圏でもひっそりと子育てをしているのかもしれません。主な繁殖地は北方のツンドラ地帯。水辺の低木の陰やしげみなど地上に巣をつくりますが、時に樹上のカラスの古巣を使うこともあるそう。なんだかちょっと想像できない光景です。

♂

背面は全体にしっとりとしたグレー
CHECK! おしりに黒い縁取りのあるクリーム黄色の三角斑が目立ちます
CHECK! 翼を広げた時、上面に出る白・黒・緑の配色が独特です。美しい緑色の羽は光の当たり方で青や紫紺に見えることもあります

春季の 

黄色い三角斑はなく
細い白線があります
♀のクチバシの基部から側面は、春から夏に鮮やかな黄橙色となり、一見、別種のカモのように見える時季があります
また幼鳥にもクチバシの黄橙色がよく目立つものがいます

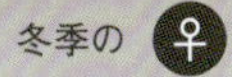
冬季の ♀

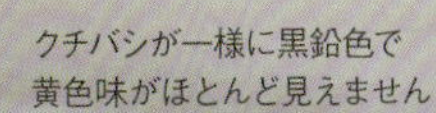
クチバシが一様に黒鉛色で
黄色味がほとんど見えません

カモ目カモ科

マガモ *Anas platyrhynchos platyrhynchos*

漢字名	真鴨　中国名　綠頭鴨 / 大紅腿鴨　英名　Mallard
アイヌ語名	ヤヤンコペチャ yayan-kopeca（普通の・カモ）
サイズ	59センチ　雌雄差　あり　食べもの　水草・種子・昆虫・水生動物
鳴声	ピィーピィー（♂）グワッ, グワッ / グェ, グェ / グエーッ, グエグエグエ / ククククク（♀）
国内分布	北〜本中部（繁）全国（冬）　国外分布　ユーラシア・北米（繁）南亜・中南（冬）
見られやすさ	ごくふつう　観察適地　①②④⑤⑥⑦⑧⑩⑬⑭⑳㉑など

本種を家禽化したものがアヒル、それと本種のかけ合わせがアイガモ　識別は容易ではありません。カルガモ（次項）と交雑することも

都市生活にうまく適応したことで知られる野生のカモ。市街中心部の道庁前庭や中島公園などでもヒナを連れ歩く姿が見られます。メスのみで子育てし、巣は水辺のちょっとした草むらの地上につくられています。かつては郊外でなければ見られない鳥でしたが、1980年代初期に北海道大学植物園で子育てをしていることが知られたのを皮切りに、道庁の池に棲むものや、大通の植え込みから創成川へ行列をつくって移動していく親子などが報じられるようになりました。東京の大手町で「都会のカルガモ親子」が有名になったのと、ほぼ同時期です。そのせいか、両種を混同している人もいます。なお札幌では近年、オシドリ[p222]が街中でも子育てをするようになりました。

カモ類

♂

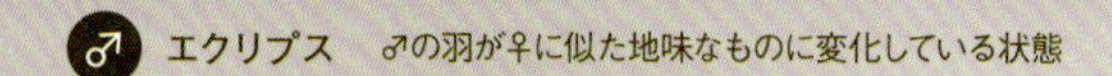
♂ エクリプス　♂の羽が♀に似た地味なものに変化している状態

カモ目カモ科

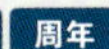

カルガモ *Anas zonorhyncha*

漢字名	軽鴨	中国名	斑嘴鴨 / 黄嘴尖鴨	英名	Eastern Spot-billed Duck
サイズ	61センチ	雌雄差	ほぼなし	食べもの	水草・種子
鳴声	グェッ，グェッ / グワッ，グワッ / グェグェグェグェグェ				
国内分布	北海道〜沖縄	国外分布	東南アジア・台湾・中国南東部・インド		
見られやすさ	ふつう	観察適地	②④⑥⑦⑧⑩⑭㉑など		

頭が黒く、淡黄白色の眉ラインと目の前後の黒いラインが明瞭です

全体に黒っぽい茶褐色
淡黄褐色の羽縁があります

この部分の羽が
白く目立ちます

CHECK! クチバシは黒く先が黄色いのが特徴です

顔から首は白っぽく黄褐色味の強いものや白味が強いものなど個体差があります

カルガモは♂♀ほとんど
色が同じです

おしりのあたりは真黒
♀は♂より淡いとされます

マガモ♀およびエクリプスの♂によく似ているため一般にはかなり混同されています
隣頁のタイプとよく見較べてみてください。札幌の公園ではマガモの方がふつう

10羽のヒナを連れた♀親鳥が
外敵を警戒しているのでしょうか
体勢を低くしたまま泳いでいます

東京都心のビル街をヒナ連れで歩くようすで有名になりました。都会暮らしをするカモの代表選手ですが、札幌ではそれほど多くありません。また冬にはほとんどがいなくなってしまいます。一般に札幌で「カルガモ」といって紹介されている親子ガモのほとんどがマガモのような気もします。カモ類には珍しく、オスとメスの見た目がほぼ同じ。よく観ればオスの方がやや色味が濃いという程度でしょうか。ディスプレイではオスが伸び上がって首や胸を誇示しているだけのようにも見えます。メスへのアピールポイントはいったいどのへんにあるのでしょう。

CHECK!
飛び立つと「翼鏡（よくきょう）」と呼ばれる
美しい紫紺色の羽が目を引きます
なおこれはマガモにもあります
飛んでいる姿を下方から観察すると
翼の裏側の白い部分が黒い羽との
コントラストでよく目立ちます
飛翔時は朱い脚も目立ちます

カモ目カモ科

ハシビロガモ *Spatula clypeata*

漢字名	嘴広鴨	中国名	琵嘴鴨	英名	Northern (Common) Shoveler
サイズ	50センチ	雌雄差	あり	食べもの	水草・種子

鳴声 コッ, コッ, コッ (♂) /クワッ, クワッ/クエッ, クエッ/ガーッ, ガッガッガッ (♀)

国内分布 北〜沖　**国外分布** ユーラシア・北米(繁) 北米南部・南〜東南亜ほか(冬)

見られやすさ ふつう　**観察適地** ②⑥⑦⑧⑩など

幅の広いシャベルのようなクチバシでプランクトンを水ごとすくいあげ、縁にある板歯(ばんし)と呼ばれる密に並んだクシ状突起で濾(こ)しとります。円陣を組むように数羽で輪をつくり、クルクルと泳ぎ回って水流(渦)を起こし、水底から餌を浮上させるという独特の共同採食を行います。これは輪の中に呼び込んだメスに、オスが求愛の餌渡しをするためのグループ・ディスプレイであるとも見られています。

カモ目カモ科

ホシハジロ *Aythya ferina*

漢字名	星羽白	中国名	紅頭潛鴨	英名	Common Pochard
サイズ	45センチ	雌雄差	あり	食べもの	水草・種子

鳴声　クルッ，クルッ／キュッ，キュッ／ガーッ，グルルー／ホェーン

国内分布　北～沖　　国外分布　ユーラシア（繁）アフリカ・印・中国南部（冬）

見られやすさ　ふつう　　観察適地　⑦⑧⑩など

「おむすび型」とも呼ばれるとがった頭からクチバシにかけてのラインが特徴的

♂の頭から首はレンガ色で目が紅いです。胸は黒い

♂

おしりは黒い

CHECK!　クチバシは黒地に青鉛色の太い帯があります。ときどき全体に黒っぽいものも

からだは一見すると銀灰色で遠目には白っぽく見えますが、細かなちりめん（波状）模様がびっしりと入っています

からだはくすんだ感じの銀灰色。濃淡やちりめん模様の見え方に個体差があります

♀の頭から首は茶褐色。ふつう目のまわりが白っぽくなり、後方に白線が出ますが、わかりにくいものもいます。目は黒いです

♀のクチバシはふつう全体に黒っぽく、青鉛色の帯は細くなりますが、この個体は全体に青鉛色で先端のみ黒くなっています

♀

胸は淡い褐色

潜水して採食します。海上よりは淡水域を好み、公園の池などにも現れます。北へ向かうほどメスが少なくなり、オスの方をよく見かけるようになります。ペアができるのは春めいてから。冬はオスだけでよい餌場を独占してしまうためだともされますが、詳しいことはわかっていません。オスの紅い目を「星」に見立てた名とする説があります。飛翔時に見える翼の帯は灰色で、他の「羽白」ガモほど目立ちません。

カモ目カモ科

旅鳥 冬鳥

ヒドリガモ *Mareca penelope*

漢字名	緋鳥鴨	中国名	赤頸鴨	英名	Eurasian Wigeon
サイズ	48.5センチ	雌雄差	あり	食べもの	水草・種子・藻類

鳴声 ピューイ, ピューイ/ピィーユ, ピィーユ/ピュピャピャ（♂）グァ, グァ/ガーッ（♀）

国内分布 北〜沖　**国外分布** ユーラシア北部（繁）北アフリカ・南アジア（冬）

見られやすさ ふつう　**観察適地** ⑤⑥⑦⑧⑩㉑など

ぱっと見にはホシハジロ（前項）に似ているカモ。水面で採食するタイプとされる一方、冬は活発に潜水して川底の植物を食べています。よく見かけるおなじみのカモ類で、主に湖沼や河川など淡水域で見られますが、内湾や沿岸に集まっていることもあります。冬の間にペアをつくります。オスが口笛のような声で鳴きながら翼を持ち上げ、よく目立つ大きな白い紋を相手に誇示する求愛のディスプレイを見ていると、むしろ「羽白」の名にふさわしいのはホシハジロよりこちらのような気もします。春の渡りの時季には道東やオホーツク沿岸で大群が見られます。

カモ目カモ科

オナガガモ *Anas acuta*

漢字名 尾長鴨		**中国名** 針尾鴨 / 尖尾鴨		**英名** Northern Pintail	
サイズ ♂75センチ/♀53センチ		**雌雄差** あり		**食べもの** 水草・種子	
鳴声 ピュルピュル/キシィ（♂）クワッ，クワッ/グェ，グェ（♀）					
国内分布 北〜沖		**国外分布** ユーラシア・北米（繁）北米南部・東南亜ほか（冬）			
見られやすさ ふつう		**観察適地** ⑥⑦⑧⑩㉑など			

この部分の羽の白黒パターンが実にキレイです

頭はチョコレート色

CHECK! 黒いクチバシの両側に青味がかった鉛色

首からの白い部分は顔の後方に食い込みます。後頭は黒い

CHECK! 長く突出した黒い尾羽

ここに目立つ黒斑

おしりは黒く、その前方に白〜淡黄色の部分

細かなちりめん模様のある銀灰色

春の渡去前は石狩川など大きな開水面に越冬したものと北上してきたものとが多数集結、時に万単位にもなります。水ごとすくいあげた水草やその種子、水生昆虫などを濾して食べるほか、浅い水中に上半身を突っ込み、さかさまになって採食するスタイルも得意。群れがいっせいに逆立ちするさまは壮観です。オスは鳴きながらメスのまわりを泳ぎ、おしりと尾羽を持ち上げるディスプレイでメスに求愛します。逆に、首を水平に伸ばし水面スレスレにつけてみせるメスの動きは、オスの気を引くためのものといわれます。春には連れだって北方へ渡ります。

外側から白→緑→橙
褐色の帯が並びます
尾羽の長さが目立ちます
首の白が目立ちます
CHECK!
♂は逆立ちする
とおしりの黒が
目立ちます！
長い黒斑が
目立ちます
♀は白→褐色→白
のパターン
♀
♂
♀
♀のクチバシはふつう黒で
時に濃い鉛色に見えます
まれに♂のような配色の
♀を見ることもあります
頭は淡赤褐色に細かい黒斑
黒地に橙褐色の斑
♀
白と褐色の独特のうろこ模様

カモ目カモ科

キンクロハジロ *Aythya fuligula*

漢字名 金黒羽白　**中国名** 鳳頭潜鴨　**英名** Tufted Duck

アイヌ語名 チポㇿコㇿ cipor-kor / ヤトゥレタレ yaturetare ほか

サイズ 40センチ　**雌雄差** あり　**食べもの** 巻貝・二枚貝

鳴声 クルルルッ/キュルキュル

国内分布 北海道（繁）全国（冬）　**国外分布** ユーラシア北部（繁）南部（冬）

見られやすさ ふつう　**観察適地** ⑥⑦⑧⑩㉑など

♂

目が金色、上面が黒、翼に白帯があることからの名称です。後頭に寝ぐせ（あるいはポニーテールとかチョンマゲ）のような羽毛（冠羽）が垂れており、それが英名（tufted＝ふさのある）の由来。淡水から汽水域を好み、海上で見かけることはあまりありません。ホシハジロ[p235]同様に、活発に潜水して採食するタイプのカモ類です。水掻きのある脚を使い、潜水中は翼を用いず脚力だけで泳ぎます。飛びたつ時には水面を助走するので狭い水域は避けるともいわれる一方、山間の小さな池沼などに姿を見せることもあります。小魚や甲殻類、水草などのほか、貝類も好物。丸呑みにしたあと、砂嚢（さのう）（筋胃（きんい））と呼ばれる強力な消化器官ですりつぶしてしまいます。道東方面では少数が子育てをしているようですが、多くは北方からの渡り鳥です。

カモ目カモ科

旅鳥 冬鳥

カワアイサ *Mergus merganser merganser*

漢字名 川秋沙	**中国名** 普通秋沙鴨 / 大鋸嘴鴨子 　**英名** Common Merganser
アイヌ語名 コメチㇼ kome-cir（コメ・鳥）	
サイズ 65センチ　**雌雄差** あり	**食べもの** 魚類・水生生物
鳴声 クルル, クルル / ムーン, ムーン / グワッ, グワッ（♂）プラー, プラー / グゲゲゲ（♀）	
国内分布 北（繁）九州以北（冬）	**国外分布** ユーラシア・北米（繁）同域南部（冬）
見られやすさ ふつう	**観察適地** ⑥⑦⑧⑩⑭㉑など

秋になると北方から南下してくる美しい水鳥です。札幌圏や道南では冬鳥か旅鳥として観察されることの方がふつうですが、十勝地方から道東・道北方面では少数が子育てをしており、親鳥がヒナを背に乗せて泳ぐ愛らしい姿が見られます。水域に近い樹洞を巣とするあたりは「森の水鳥」っぽいのですが、オシドリ[p222]のように木の実を特に好むといった性質はないようで、巧みな潜水・遊泳技術を生かして主に魚を食しています。クチバシの縁に見えるノコギリのような鋭い歯状突起は、捕えた獲物を逃さぬように発達した部分。またエビやカニ、水生昆虫なども採食しています。水中に頭を入れ、餌を探しながら泳いでいる姿もよく観察されます。

アイサ類

カモ目カモ科

ミコアイサ *Mergellus albellus*

漢字名 巫女秋沙 / 神子秋沙　**中国名** 斑頭秋沙 / 鴨白秋沙　**英名** Smew

サイズ 42センチ　**雌雄差** あり　**食べもの** 魚類・水生生物

鳴声 グルルルルル，ゴルルルルル（♂）クワッ（♀）

国内分布 北海道～九州　**国外分布** ユーラシア亜寒帯（繁）東亜・南亜・西亜（冬）

見られやすさ ややまれ　**観察適地** ⑦⑧⑩㉑など

頭の羽毛は逆立てると
タテガミのような印象
後頭に黒い羽毛があります

背は黒く見えます

クチバシは
灰黒色

全身白っぽく見えます

白い胸に細く黒いライン

ワキは細かい波状のちりめん
模様で灰色っぽく見えます

白い体に黒い目まわりがひときわ目立つ個性的なデザインの水鳥です。白装束を巫女（神子）になぞらえた素敵な和名を持つ一方、鳥好きな人の間での愛称は「パンダガモ」。かわいらしいイメージがありますが、頭の羽毛（冠羽）を逆立てた時には白い獅子のようなりりしさも。淡水域を好み、大きな川や湖、公園の池などで小さな群れをつくっています。時にいっせいに潜水し、水中で魚や甲殻類、貝類などを捕食。しばらくするとやや離れた場所から四方八方、それぞれに浮かび上がってきます。行動はカワアイサ（前項）によく似ていますが、クチバシはそれほど長く見えません。アイサ類では小柄なため、わずかな助走で水面から飛び立つことができます。

クイナ類

ツル目クイナ科

Gallinula chloropus chloropus

漢字名　鷭　**中国名**　黑水雞 / 紅骨頂 / 紅冠水雞　**英名**　Common Moorhen

サイズ　32センチ　**雌雄差**　なし　**食べもの**　水草・種子・昆虫類・甲殻類・貝類

鳴声　クッ，クッ / クルルルルッ / キャッ / キュッ，キュッ

国内分布　北海道〜沖縄　**国外分布**　ユーラシア・アフリカ・北米・南米

見られやすさ　ややまれ　**観察適地**　⑦⑧⑩㉑など

水面に浮かぶ姿は一見カモの仲間の印象です。実はクイナという鳥の仲間。すらりと長い脚で優雅に岸辺を歩きます。水かきは持っていませんが、泳ぎは達者。首を前後にふる独特の動きで水上を進み、警戒すると水中へ潜ることも。ナワバリ争いは激しく、時には跳び上がって相手と蹴り合ったりもします。カモ類とは異なり、巣づくりから子育てまでペアが協力して行います。真黒なヒナは若鳥になると淡い褐色へと変わり、その年二度目の子育てに入る親鳥をサポートする孝行者です。

ツル目クイナ科

夏鳥 周年 旅鳥

オオバン *Fulica atra atra*

漢字名 大鷭 中国名 白骨頂 / 白冠雞 英名 Eurasian Coot	
サイズ 39センチ 雌雄差 なし 食べもの 水草・種子・昆虫類・甲殻類・貝類	
鳴声 ククッ, ククッ/クルルッ/クェンー, クェンー/コキュー	
国内分布 北海道〜九州 国外分布 ユーラシア・豪(繁)印・東南アジア(冬)	
見られやすさ ふつう 観察適地 ⑥⑦⑧⑩㉑など	

水上に浮いている姿はカモ類の印象
すたすた岸辺を歩く姿から脚力ある
クイナ類であることがわかります

CHECK! 黒い体に光沢のある白いクチバシと白い「額板」がよく目立ちます

目が紅いです

黄色味がかった鉛色の長い脚
夏季には黄色味が強まります

CHECK! 大きなヒレ状の水かきが付いた独特の長い足指が特徴です

指に木の葉状にふくらんだ水かきがあります。潜水したり、浅い水中では倒立したりして水底の草の葉や茎などを食べていますが、時に跳躍して空中のユスリカなどの昆虫類をフライングキャッチすることも。鈍重そうなイメージに反してなかなか活発。水面を駆けながら移動していく姿はアスリート風です。ヒナの額板は親鳥と違って紅く、成長するにつれ白くなります。近年、急に個体数の増えてきた鳥で、越冬地も北上、北海道でも冬を越す個体がふつうに見られるようになりました。

カイツブリ目カイツブリ科

カイツブリ *Tachybaptus ruficollis poggei*

漢字名 鳰　**中国名** 小鸊鷉 / 水葫蘆　**英名** Little Grebe

アイヌ語名 ラリペチカㇵ rar-ipe-cikah（水に潜り・食事する・鳥）ほか

サイズ 26センチ　**雌雄差** なし　**食べもの** 魚類・甲殻類・昆虫類

鳴声 キリッ，キリッキリッ，キリリリリ/ケレケレケレ/フィリリ/ピィッ，ピィッ

国内分布 北海道〜沖縄　**国外分布** ユーラシア・アフリカ・インド・東南アジア

見られやすさ ふつう　**観察適地** ⑥⑦⑧⑩㉑など

頭が黒く
目が淡黄白色

CHECK! ほほから首にかけての赤褐色が目立つ

上面は灰黒色

クチバシは黒く
先端は黄白色

CHECK! クチバシの根元に黄白色の斑があります

全体にまるっこく
お風呂のアヒルみたいな印象

ふさふさして
白いおしり

水草のよく繁った湖沼や、ゆるやかな流れの大きな川などで暮らしている小さな水鳥。頻繁に潜水を繰り返し、とぷんと水中に没したと思ったら、やや間をおいて、かなり離れたところからぽこんと再び現れます。水中では短い翼を体に貼り付け、弁足（べんそく）と呼ばれるヒレ状の指を使って巧みに遊泳しています。また水上を飛び跳ねるようにして駆けていくことも。子育ての季節になると、その小さな体からは想像できないほど大きな鋭い声でけたたましく鳴きます。夫婦で水草を集め「浮き巣」をつくり、巣を離れる際には卵の上に巣材をかぶせ、ちゃんと隠してからお出かけ。ヒナはフ化後しばらくで早くも水上デビュー。もっとも、泳ぎ疲れると親の背に乗ったり、羽の間に入ったりしてお休みします。顔だけちょこんと出してくつろいでいるようすはとても幸せそう。親は外敵が近づくと、ヒナを背に乗せたまま潜水することもあります。

チドリ目カモメ科

オオセグロカモメ *Larus schistisagus*

漢字名 大背黒鷗	中国名 灰背鷗 英名 Slaty-backed Gull
アイヌ語名	カピウ kapiw / マㇱ mas ほか ※カモメ類一般をさす
サイズ L64 / W150	雌雄差 なし 食べもの 雑食性(魚類・動物の死肉など)
鳴声	クアオ, クアオ / キャーオ, キャーオ / ミャーオ, ミャーオ / クワッ, クワッ
国内分布 北〜本北(繁) 九州以北(冬)	国外分布 ロシア極東(オホーツク沿岸)
見られやすさ ごくふつう	観察適地 ④⑦⑧⑩㉑など

◉成鳥夏羽

黄色いクチバシの下先に、ちょこんと付いた紅い斑がおしゃれです。北海道ではいろいろな種類のカモメの仲間を見ることができますが、子育てをしているのは本種とウミネコだけ。幼鳥から成鳥になるのに4年以上かかるとされ、その間に羽のデザインがさまざまに変化します。成鳥になっても夏と冬ではかなり印象が異なり、さらにセグロカモメほか各種カモメ類との見分けはかなり困難。羽の色の濃淡や頭のかたちなど、形態の差が種ごとにオーバーラップしていて、単純な見較べだけではなかなか判断できません。そのあたりが、かえってベテランバーダーやコアなカモメファンを心酔させるのでしょう。

◉成鳥に近い若鳥冬羽

カモメ類

幼鳥の目は
黒っぽく見えます

灰褐色の斑が全身に
散らばったような印象
成鳥とは全く異なる姿

クチバシは黒く
斑がありません

翼の先は淡い黒褐色で
褐色の縁どりが見えます

◉幼鳥

足の色は淡い

翼先も黒味が増してい
ますが白斑はなく褐色
の縁どりです

目はだいぶ黄色っぽく
なってきています

クチバシは黒いま
まですが基部が淡
色になっています

背の羽が成鳥っぽく
なってきています

◉若鳥

頭から首、胸にか
けては成鳥らしい
白となっています

参考種セグロカモメ（左）**と**
L. vegae vegae
オオセグロカモメ

成鳥の目は黄色ですが
暗色の個体もいるようです

類似種セグロカモメの背の色は
淡色のグレー（青灰色）

オオセグロカモメの背の色は
濃いグレー（黒灰色）

冬羽なので褐色斑が
たくさん出ています

冬羽ですがこの個体
にはあまり褐色斑が
出ていません

成鳥の翼先は黒く
白斑があります

本来は海岸の岩場で集団繁殖するカモメなのです。ところが1995年くらいから札幌市の中心部に飛来するようになり、2000年代に入ってからは豊平川沿いで年中見られるようになりました。やがてビルの屋上で子育てをはじめ、現在ではカラスと並んで歓楽街でもふつうに見られる鳥となっています。札幌市中心街から石狩湾（日本海）まで15キロほど。鳥にすればわずかな距離かもしれません。でも、どうして急に大都市の真中へ居を構えるようになったのでしょう。カラスとちがい、特にゴミに依存しているわけでもないようです。断崖のような都会のビル群を眼下にするうち、つい子育てしてみたくなっちゃったのでしょうか。ともあれ夕暮れどきの札幌の街では、今日も哀感に満ちたカモメの声が道東の港町のように響き渡っています。

札幌中心街のビルの屋上に並んでとまるオオセグロカモメ

カツオドリ目ウ科

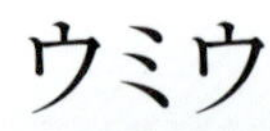

Phalacrocorax capillatus

漢字名 海鵜　**中国名** 綠背鸕鷀 / 班頭鸕鷀　**英名** Japanese Cormorant	
アイヌ語名 ウリｯ urir / フリｯ hurir ほか　※ウ類一般をさす	
サイズ L84 / W133　**雌雄差** なし　**食べもの** 魚類	
鳴声 グワァー / グワワワ / グルルルル	
国内分布 北海道〜九州　**国外分布** 沿海州・サハリン・千島列島・朝鮮半島	
見られやすさ ふつう　**観察適地** ④⑥⑦⑧⑩⑪㉑など	

頭と首に白い羽毛が出ます。特に首まわりはふさふさになります。顔は黒く、目の後方が白からまだらになっています。口元の黄色部にも黒斑が密に出ています

CHECK! 遠目には黒ですが緑色の光沢があり光の当たり方や見る角度で美しく輝きます

クチバシや目先が黒くなっています。目はエメラルドグリーン

冬羽では顔の白い部分が大きくなり目立ちます

腹面にも緑の光沢

このあたりはうろこ模様が顕著です

白い羽毛が少し出はじめています

胸に白斑が残っているのでまだ若い鳥かもしれません

足の基部も大きな白い羽毛に覆われます

◉成鳥夏羽（婚姻色）

◉成鳥冬羽

顔の白い部分が
ほとんどない個体
CHECK!
黄色い口の角は
三角にとがっています
上クチバシの先端が
カギ状に曲がっています
伸ばした長い首と背だけを水上
に出して泳ぎます。潜水が得意
海岸だけでなく内陸部の水域
にもしばしば姿を見せます
CHECK!
顔の白色部は広く後方で
目の高さより上がります
若鳥の羽は茶褐色味が
強く、光沢がありません
若鳥は下面全体がほとんど
白いものから茶褐色地に白
斑の混じるまだら模様のも
のまで個体差があります

◉若鳥

◉成鳥夏羽（婚姻色）

顔の白色部が
ほとんどない個体

◉カワウ若鳥

魚の胸ビレのような
硬い印象の尾羽

真黒な背中。翼とは
色味がちがいます

ウミウもカワウもこのポーズをよくとります
あまり水をはじかない羽なので、陸へ上
がるたび翼の日干しをしているのです

類似種 カワウ（川鵜）
Phalacrocorax carbo
まれな夏鳥

首が長い

白色部は小さく、目の
高さを越えません

茶褐色味の強いうろこ模様（成鳥
にはうっすらと緑色光沢）

若鳥のおなか側は白っぽいので
この個体は成鳥に近いようです

◉カワウ若鳥

足は黒いです
水かきがあります

◉カワウ成鳥（婚姻色）

◉カワウ若鳥 冬羽

◉ウミウ若鳥 冬羽

港湾の防波堤などでよく目にするウミウですが、河川湖沼にも姿を見せます。札幌中心部の中島公園や道庁前庭の池などにひょっこり姿を現すことも、近年では珍しくなくなってきました。分布は極東に限られ、日本では主に北海道を子育ての場としています。かたや世界に広く分布しているカワウは、かつて北海道ではまれに見かける程度の夏鳥でしたが、この20年ほどで分布を北に広げつつあり、道内各地にも飛来するようになりました。道北では子育てもしていることから、大陸から渡ってきている可能性もありそうです。両種とも「鵜飼」で知られる魚食性の鳥で、水かきのある足で水中を自在に泳ぎます。硬い尾羽は舵の役目を果たしています。

ペリカン目サギ科

アオサギ *Ardea cinerea jouyi*

漢字名　蒼鷺　　中国名　蒼鷺 / 撈魚鶴　　英名　Grey Heron

アイヌ語名　ペッチャコアシ pet-ca-ko-as（川・岸・に・立っている）

サイズ　L93 / W160 – 175　　雌雄差　なし　　食べもの　魚類・水生生物・小型哺乳類

鳴声　クワーッ，クワーッ / クワッ，クアッ / ゴアーッ / グアッ

国内分布　北海道〜九州　　国外分布　ユーラシア中部以南・インドネシア・アフリカ

見られやすさ　ふつう　　観察適地　④⑥⑦⑧⑩⑪⑬㉑など

◉成鳥夏羽

CHECK!　目の上から後頭に黒帯があり
そのまま長い冠羽となっています

CHECK!　青味あるグレーの肩から背に
飾り羽があり、高貴な印象
冬には羽の色味があせます

長い首の前方には黒い縦
斑が並びディスプレイの際
は首を伸ばして誇示します

黄褐色の脚の色は求愛の時季
になると紅味を帯びてきます

額から頭頂
顔から首は白い

目は黄色で、目先は青灰色です
求愛期には目先まで紅くなるもの
青味が鮮やかになるものもいます

◉成鳥夏羽

CHECK! 求愛の時季を迎えると橙黄色のクチバシが紅く色づきはじめます
冬は個体により黒味を帯びたり黄褐色になったりなどします

肩の部分に黒斑と白斑が見えます

CHECK! 胸にも房状の白い飾り羽
冬には目立たなくなります

ツルと間違われがちな大型のサギ類。獲物を狙って浅い水の中を静かに歩いたり、いつまでもじっと静止していたり。魚のほか、カエルなどもターゲットとなっています。コイのような大きな魚は、その長く鋭いクチバシでひと突き。多くは夏鳥ですが、近年では冬越しするものも出てきました。採食は水辺で、子育ては森で。集団で樹上に巣を架けます。札幌市の東部にある約100巣もの集団営巣地（コロニー）は1997年の形成以後、四半世紀以上ものあいだ市内最大の規模を維持。エサや巣材の調達にと、付近の水田や川に向かい、大きなサギたちが住宅地の上空を悠然と飛翔していく眺めには独特のおもむきがあります。クチバシが紅く色づき、貴婦人のレースを想わせる飾り羽が豊かになる求愛シーズンの艶姿も見どころです。

サギ類

親鳥は巣で待つヒナのために、日に何度も水辺や水中の生きものたちを森へ運びます。ヒナのエサとなった生物は、フンとして森の底に落とされ、結果コロニーの下には大量の栄養素が蓄積されることになります。それらはやがて雨によって川へと流れ出し、水に暮らす生きものたちを育みます。川から森へ移った栄養が、再び川へと戻ったのです。一方、サギの糞尿の影響を受け枯死する樹木が出てきます。森そのものが消えてしまうことだってあります。サギは世代交代の場を失いますが、そのような状況にうまく適応できる、また別の生きものたちが新たに登場してくるでしょう。それが自然界の循環と遷移です。実に複雑かつ興味深い舞台なのです。

◉成鳥に近い若鳥

目の上の黒線と冠羽は幼鳥にはなく成長するにつれ出てきます。この若鳥は後頭部の冠羽が伸びはじめています

幼鳥や若鳥の上クチバシは黒っぽく次第に橙黄色味を帯びていきます この個体の色味はほぼ成鳥と同じ

背の飾り羽が伸びはじめています 幼鳥に飾り羽は見られません

顔から首はグレー

胸の飾り羽はまだ伸びていません

脚の色に紅色味が増しつつあります

◉成鳥夏羽

◉成鳥冬羽

CHECK! サギ類は首を縮めるように曲げて飛びます（ツル類は首をまっすぐ伸ばして飛びます）

ペリカン目サギ科

ダイサギ *Ardea alba*

夏鳥 旅鳥 冬鳥

漢字名	大鷺　中国名 大白鷺　英名 Great Egret / Great White Heron
サイズ	L80－104/W130－170　雄雌差 なし　食べもの 魚類・水生生物・小型哺乳類
鳴声	ガァァァ / ゴァァァ / グアッ / クワッ
国内分布	ほぼ全国　国外分布 汎世界的
見られやすさ	ふつう　観察適地 ④⑥⑦⑧⑩⑪㉑など

◉亜種ダイサギ 3月 冬羽から夏羽へ移行中

◉亜種ダイサギ 10月 冬羽

秋の中島公園で紅葉をバックに樹上で休息中。近年は街中の公園にも飛来、越冬しています

尾羽は短く扇状

おなかにうっすらと黄褐色味のある個体

脚を伸ばして飛翔します
上部の黄色がチラ見
足指の裏側にもわずかに黄色味

◉亜種ダイサギ 11月 冬羽

首を伸ばすと大きさの印象が変わります

◉亜種ダイサギ 1月 冬羽

翼に黄褐色味が見られる個体

CHECK! 亜種ダイサギ（冬羽）の脚と、足指の裏面は黄色っぽく（黄白色、淡色、肉色、ピンク色などの表現も）、亜種チュウダイサギ（冬羽）の脚は黒いとされますが、個体差や季節的な変化もあります。この個体は脚の上半部から下半部上部の内側のみが黄白色で、外側は黒褐色です。足指の裏側にも黄色味があります

サギ類

北海道は、かつてシラサギ類がほとんど見られない地域でした。その最大種であるダイサギの札幌圏での観察頻度が高まりはじめたのは2010年頃から。19年以降は飛来数がひときわ増大、近頃では珍しい鳥ではなくなりました。本種には北方系と南方系の二亜種があり、増加が顕著なのはロシア沿海州や中国東北部など大陸で繁殖、晩夏から秋に北海道へ渡来する亜種ダイサギ（*A. a. alba*）です。羽を休めたのち本州方面に南下しますが、道内で越冬する個体もいます。一方、本州以南で子育てし、東南アジア方面に渡去（一部暖地で越冬）する亜種チュウダイサギ（*A. a. modesta*）は、北海道では数少ない夏鳥。本州方面から北上してくる個体のようで、以前は迷行個体と見なされていたことも。近年では豊平川や月寒川など街中での観察例も出てきています。道内各地のアオサギのコロニー（集団営巣地）では本種（亜種不詳）の繁殖行動がわずかながら観察されています。

◉亜種チュウダイサギ（婚姻色） 5月 夏羽へ移行中

亜種ダイサギ（大陸からの越冬組）の渡来数がピークを迎えるのは9月頃。その後は減少していきますが、豊平川、新川、創成川、琴似発寒川、精進川、中島公園、月寒公園など街中で冬を越すものもいます。豊平川では、上流の真駒内公園周辺まで足（翼?）を伸ばす個体もいて、冬のミュンヘン大橋付近では上流と下流とをさかんに行き来する数羽を毎日のように目にします。ダイサギのような大型の魚食性鳥類を誘引しうるだけの餌資源が、冬の川にもちゃんとあるのだということに、ちょっと驚かされます。春には本州からの北上個体が戻ってきて、再び個体数が増えます。この頃には婚姻色が現れ、蓑羽（みのばね）と呼ばれるレース状の飾り羽が伸び、とても優雅なよそおいに。ただ、それらがすべて亜種ダイサギなのかどうか。わざわざ着飾った姿で海を渡っていく姿がうまく想像できません。まれに夏も居残る個体がいるのか、あるいは飾り羽姿のものはすべて亜種チュウダイサギなのでしょうか。

サギ類

◉亜種 チュウダイサギ 8月 冬羽

亜種ダイサギより小型で、首とクチバシが短め
しばしばチュウサギと混同されがち

亜種チュウダイサギ（以下*modesta*）とはいささか妙な名称です。これは「中（くらいの大きさの）大鷺」の意。亜種ダイサギ（以下*alba*）より小型であることを示しています。アオサギより大きい*alba*は、アオサギより小さめの*modesta*と並ぶと違いが明らかですが、単独ではわかりにくく、隣にアオサギがいてくれれば大きさの比較が容易です。ただし首を伸ばす（or縮める）、背を伸ばす（or丸める）といった姿形の違いがあると、とたんにサイズ感がつかみづらくなります。脚の色も個体差や時期による差もあり、絶対的ではありません。特に渡去前の*alba*と渡来後の*modesta*が混在する春季は、婚姻色が出ていることもあり、どう判断してよいのか迷うような個体がいます。なおダイサギの類似種であるチュウサギとコサギは、サイズの違い（大中小）から見分けられますが、*modesta*とチュウサギの識別については、鳥を見慣れている人でも時に悩まされることがあります。

◉参考種 チュウサギ *Ardea intermedia* 9月 冬羽

クチバシは夏羽で黒、冬羽で黄色（先端に黒色部あり）

口角は目の位置を越えません

脚は黒いです

亜種ダイサギ

亜種チュウダイサギ

チュウサギ

[参考] チュウダイサギとチュウサギの識別点

◎口角が目の後端より後ならチュウダイサギ
口角が目の後端より前ならチュウサギ

◎チュウダイサギ＝繁殖期の目先が広範囲に緑色/チュウサギの目先は周年黄色
※チュウサギでも目先が緑色がかることはありますが範囲はせまい

◎チュウサギのクチバシの方が太めで短く見える ※でも結構ムズカシイです

クチバシは周年黒色

後頭部に冠羽（夏羽のみ）

足指の黄色が周年よく目立ちます

◉参考種 コサギ *Egretta garzetta* 4月 夏羽

チドリ目シギ科

夏鳥

オオジシギ *Gallinago hardwickii*

漢字名 大地鷸	中国名 澳南沙錐	英名 Latham's Snipe
アイヌ語名 チピヤㇰ cipiyak (鳴声から)		
サイズ 28－33センチ	雄雌差 ほぼなし	食べもの 昆虫類・ミミズ・種子
鳴声 ジィーップジィーップ, ズビヤークズビヤーク, チリューチリュー (S) ヴェッ, ヴェッ (C)		
国内分布 北〜本中部(繁)	国外分布 ロシア極東(繁) オーストラリア(冬)	
見られやすさ ややまれ	観察適地 ⑥⑦⑧⑩⑪㉑など	

「地上のシギ」という意の「ジシギ」と呼ばれるグループの鳥で、牧草地、休耕田、河川敷などのオープングラウンドで暮らしています。長いクチバシの先を地中に差し込み、ミミズなど土壌生物を捕食。一見したところ地味ですが、複雑な模様の羽は見れば見るほどに芸術的です。野外では見事な保護色となり、じっと動かずにいられると、まず気づくことはありません。子育ての季節には樹上や電柱など目立つところにとまり断続的に鳴き続け、地上でもよく発声します。空中で披露されるディスプレイ・フライトは羽音も混じえた豪快なもの。すぐにその存在を知ることができるでしょう。秋に渡去し、冬を遠くオーストラリアで過ごし、春になるとまた北海道へと戻ってきて子育てに入ります。越冬地に着くまではどこにも立ち寄らず、ノンストップで一直線に海を渡っていくことが近年の発信機調査によって明らかとなりました。札幌での推定個体数は概ね500羽くらいとみられています。

シギ類

CHECK!
急降下する際に尾羽を広げて風を切り、濁った大きな音を出します。外側の尾羽は細く中央寄りは幅広いので、開くと独特の形状になります
急降下する時は翼の肩のあたり（翼角）を突き出すようにして曲げます
白いおなか
首のまわりに黒斑
ディスプレイ・フライトで急降下を行う♂
CHECK!
頬にある横長の黒斑の大きさや目立ち方には個体差があります
地上ではよくヴェッヴェッヴェッヴェッ……という地味で単調な声を連続して出しています
羽縁の白が連続してできる背中の白線が目立ちます
地上に下りている時もよく観ると尾羽の先の橙色部分がわかります
渡来直後や渡去の前などはあまり鳴いたり飛んだりはせず静かに地上で採食しています

高空で鳴きながら旋回飛行を行う♂

求愛のシーズンを迎えたオスがさかんに行うディスプレイ・フライトは、異様な轟音を原野の空に響かせる独特の誇示行動です。「雷シギ」と異名をとるほどのそれは、まず〈ジッジッジッ〉と濁った声で鳴きながら空高く舞い上がり、次に〈ジィープ、ジィープ〉と連呼しながら旋回したり「8の字」を描いたり。やがて〈ズビヤーク、ズビヤーク〉という独特の声を出しつつ急降下。その際、尾羽を大きく広げ、空気との摩擦抵抗を起こすことにより〈ゴゴゴゴゴッ〉という凄まじい音を響かせます。降下後は再び上昇、また〈ジィープ、ジィープ〉以降を何度も繰り返し行うのです。この個性的なディスプレイは単独でも、また数羽の群れでも見られます。春から初夏の日の出と日の入り前後に活発で、以降は次第に減少。静止している状態での個体の性別は、野外観察ではまったくわからないのですが、ディスプレイで大きな音を出さねばならないオスの尾羽はメスより長く、枚数も多くなっているとのこと。またアクロバティックな誇示飛翔を行うため、オスはメスよりも小型であることが報告されています。

チドリ目シギ科

漢字名	磯鷸	中国名	磯鷸	英名	Common Sandpiper
サイズ	20センチ	雌雄差	なし	食べもの	昆虫類
鳴声	チーチィピピピ，ツーチリリー／ピリリッ，ピリリッ／チーリーリーリー／チキキキキ				
国内分布	北〜九	国外分布	ユーラシア北〜中部(繁) アフリカ・印・東南亜・豪(冬)		
見られやすさ	ふつう	観察適地	①②④⑤⑥⑦⑧		

◉成鳥夏羽

「磯」に棲むシギという名称なれど、実際には川や湖で見る機会の方が多く、札幌では豊平川の中流から上流の、玉石のごろごろした川原や、定山渓や豊平峡のダム湖岸など、開けた環境に現れます。短い尾羽をしきりに揺らしながら歩き、クチバシを箸のように使って石と石の間にひそむ昆虫類などをついばみます。褐色と白のデザインが川岸の環境によく溶け込み、あまり目立たない鳥ですが、飛ぶ時に鋭い声でよく鳴きます。春の渡来時には、オスはメスの前でさえずりながら飛翔するディスプレイ・フライトを頻繁に行い、ふわふわした飛び方で低空を旋回して相手の気を引きます。そして玉石の間の砂地に浅いくぼみをつくり、そこで尾羽を美しい扇形に広げてメスを誘います。求愛する複数のオスをめぐりおえたメスは、そこから気に入った相手を選ぶのです。フ化後まもなくするとと歩き出すヒナの世話は、主にオスの仕事。メスはしばらくの間は周囲への警戒や外敵への威嚇などにあたっているのですが、ある程度ヒナが成長するとさっさと家族のもとを離れ、どこかへいってしまいます。

チドリ目チドリ科

コチドリ *Charadrius dubius curonicus*

漢字名 小千鳥　**中国名** 金眶鴴／小環頸鴴　**英名** Little Ringed Plover

サイズ 16センチ　**雌雄差** ほぼなし　**食べもの** 昆虫類

鳴声 ピピピピピ, ピーィ, ピーィ／ピッピッピッ, ピュー, ピュー／ピヨ, ピヨ／ピォ, ピォ, ピォ

国内分布 北〜九　**国外分布** ユーラシア(繁)同南部・印・東南亜・アフリカ(冬)

見られやすさ ふつう　**観察適地** ⑦⑧⑩⑪など

◉成鳥

前頭部とクチバシ基部から
顔にかかる黒いアイマスク

目の上の白い
眉ラインはカギ型

首から胸に
黒いリング状の模様

背面は明るい淡褐色
川岸の石や砂の色に似て
保護色となっています

CHECK! 鮮やかな黄色い
アイリング

胸の黒斑部の形状は個体に
よりさまざま。よだれかけの
ようなデザインのものも

おなかは白い

脚はやや緑がかった黄色
求愛のシーズンを迎えると
淡い紅色味を帯びます

湖沼や干潟、河川敷などで見られる水辺の鳥ながら、時に住宅街の空き地や、草がまばらに生えるだけの荒れ地、山中の採掘現場など、水域からやや離れたところにも現れます。ちょっと哀感のただよう大きな声で鳴きながら上空を飛び回り、滑り込むようにして地上へ降り立ちます。ストップ＆ゴーを繰り返しつつジグザグに駆け回って（いわゆる「千鳥足」です）昆虫を捕食。地面を足で叩き、落葉の下の獲物を追い出す技も。卵は砂地に浅いくぼみを掘って直に産み、近づくものがあるとペアで擬傷（ぎしょう）行動をとります。あたかも傷を負って飛べないかのような動作で外敵の注意を引き寄せ、巣から遠ざけようとする親鳥の懸命な「演技」です。

カワセミ類

ブッポウソウ目カワセミ科

夏鳥

カワセミ *Alcedo atthis bengalensis*

漢字名	翡翠　**中国名** 普通翠鳥 / 打魚郎　**英名** Common Kingfisher
アイヌ語名	ソカイ sokay / ソカイカムイ sokay-kamuy（ソカイ・神）
サイズ	17センチ　**雌雄差** ややあり　**食べもの** 小型魚類・甲殻類・両生類
鳴声	チーッ，チーッ / チッピー / ピッピー / ピッ，ピッ，ピッ，ピッ / チッチッチチッ
国内分布	ほぼ全国　**国外分布** ユーラシア・印・東南亜・中東〜南部・朝・サハリン（繁）
見られやすさ	ふつう　**観察適地** ②④⑤⑥⑦⑧⑩⑪⑬⑭⑮⑯㉑など

湖や池沼、流れのおだやかな川で小魚を捕って暮らしています。宝石の名称「翡翠（ひすい）」とは、元来この鳥を表す言葉でした。メタリックな背の輝きは、晴天下と曇りの日とでは色あいが違って見えます。光の当たり方で印象が大きく変わるのです。おなか側はあたたかみのあるオレンジ。美しい青と愛らしい橙色とのカップリングが魅力的ですが、実はこのコントラストは保護色にもなっています。上空から見れば背の色が水面にとけこみ、水中から見ればおなかの色が水際の草木に入り混じってしまうのでしょう。川岸の風景にまぎれこみがちな姿はヒトの眼にも同様で、飛翔時に発する鋭い鳴声で「そこにいた」ことに気づかされることもしばしばです。

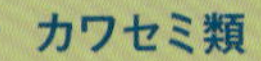

カワセミ類

矢のように川面を飛んでいく時や、じっと魚を狙っている時の姿はシャープ。一転、からだをまるくふくらませて休んでいる時は無敵の愛らしさ。オスのクチバシは黒く、メスは下側のみが紅を差したようでとてもオシャレです。ただしほとんど色づかないメスがいたり、逆に赤っぽいクチバシのオスがいたりもします。紅の濃淡や幅にも個性があります。子育ての季節になると、オスはメスに魚をプレゼントして求愛。メスが魚を受け取ってくれると、めでたくペア成立。土の露出した川岸の土手に1メートルほどの小さなトンネルを掘って巣づくりします。長いクチバシを駆使して掘り進み、足指

がくっつきシャベル状になった脚で土を外へ蹴り出していきます。巣穴のいちばん奥のスペースに、吐き戻した魚の骨を敷いて、そこへ卵を産みます。魚を捕える時には、草や木や岩の上にとまり、あるいは停空飛翔で狙いを定めて水中にダイビング。獲物は岩や枝に何度もぺしぺし叩きつけて骨を砕き、エラが引っかからないよう頭から丸呑みです。消化できなかった骨やウロコは後からまとめて吐き出します。巣立った幼鳥は小石や木の葉などを魚に見立て、捕食の練習らしきことをはじめますが、なぜか本番でも葉っぱをキャッチしてしまい、がっくりうなだれていることもあります。

ブッポウソウ目カワセミ科

周年

ヤマセミ　エゾヤマセミ　*Megaceryle lugubris pallida*

漢字名	蝦夷山翡翠　中国名　冠魚狗 / 花釣魚郎　英名　Crested Kingfisher
アイヌ語名	アイヌサチㇼカムイ aynu-sacir-kamuy（人・サチリ・神）ほか
サイズ	38センチ　雌雄差　あり　食べもの　魚類・甲殻類・両生類・昆虫類
鳴声	ケッ（キャッ），キョッ（ケレッ）/ケケケケケ/キャキャキャキャキャ/チィッ，チェッ，ヴィッ
国内分布	北〜九（本亜種は北海道のみ）　国外分布　東アジア・東南アジア
見られやすさ	まれ　観察適地　⑥⑭⑮など

落下する昆虫をもとめて魚が集まりやすい、樹下の淵などを主な狩場とする魚食性の鳥。貴公子然とした華麗な装いが魅力です。流れの早い場所でも、ホバリング(停空飛翔)から豪快に水中へ飛び込んでいきます。渓流釣りに使われる毛針は、本種が自分の羽毛を「疑似餌」として川へ落とし、それにおびき寄せられた魚を狩る姿を、釣師が偶然目にしたことから考案された、というまことしやかな話も。真偽はともかく、小枝を水面に落としては拾い直し、また落とすという行動がしばしば観察されています。若鳥の場合、ダイビングキャッチの練習なのかも知れません。

飛んでいる姿は光のあたり具合で銀白色にも見えることがあります

野鳥のしぐさを「観て」みよう

バードウオッチングをより楽しむために

初夏の川原の草地でベニマシコのオスがさえずっていました。そこへ不意に登場したもう一羽のオス。それまでのどかに鳴いていた方は歌をやめ、スッと体を立てるように伸ばすと「ナンダオマエ」といった態度で相手と向かい合いました。すると相手方も負けじと同じようなポーズをとるのです。明らかに対抗しています（上掲写真）。しばらくは無言のままの対立が続きました。やがて後から現れた方は、先に歌っていた方にあえなく追い払われてしまいましたが、その静かで小さな争いのワンシーンは、とても印象的でした。

バードウオッチングの楽しみは、その鳥ならではのデザイン（色彩やかたち）を観賞することにはじまって、さえずりに聞きほれたり、鳥のいる風景や季節感を味わったり、それらを写真や文章で表現したりと、実にさまざまだと思うのですが、その鳥の思わぬ「しぐさ」を観察することができた時の感慨はひとしおです。〈きれい・かわいい〉というステージから一歩踏み込んだ、野生の魅力を知ることの〈おもしろさ〉をダイレクトに味わえるからでしょう。美しい姿や歌声を愛でるのとは、一味ちがった楽しみが見えてくるのです。

秋のミズナラの森で出逢ったカケスは、クチバシにどんぐりをひとつくわえていました。ナラの実が大好物なこの鳥は、呑み込んだものを一時的にためおける嗉嚢（そのう）

にどんどん実を収納していき、ノドのあたりが大きくふくらんできた頃あいで飛び立ちます。そして、幹のすきまや落葉の下など気に入った場所へ運んでから吐き戻し、埋め込んでいきます。冬に備えた「貯食」をしているのです。記憶力は優良で、後にちゃんと取り出し食べているようなのですが、あちこちに隠したかなりの量の実をすべて回収できるはずもありません。残されたものが翌春に芽吹きます。森に暮らすカケスの「もの忘れ」(あるいは「お目こぼし」)が、鳥自身のすみかである森そのものの世代交代を助けているというわけです。

「あの鳥は何をしているんだろう」「なぜそんなことをするんだろう」「そこにどんな関係があるんだろう」そんな視点で野鳥のしぐさを観察し、ある時その理由がわかったとしたら(あるいは想像することができたら)、たとえその鳥の「正しい名前」がわからなくとも、とても有意義で楽しい時間となるでしょう。ごく身近な鳥であっても、適度な距離を保ち、その暮らしぶりをちゃんと観ていけば、専門書にも書かれていないユニークな生態を披露してくれることだって、もしかしたらあるかもしれません。それはそのまま「自然の見方・楽しみ方を知る」ということに、きっとつながっていくでしょう。

和名さくいん

あ	アイサ類	242
	アオゲラ	152
	アオサギ	258
	アオジ	58
	アオバト	168
	アカウソ	46
	アカゲラ	142
	アカハラ	92
	アトリ	44
	アマツバメ	191
	アリスイ	138
い	イカル	50
	イスカ	56
	イソシギ	272
	イワツバメ	194
う	ウグイス	118
	ウソ	46
	ウミウ	254
	ウ類	254
え	エゾアカゲラ	142
	エゾオオアカゲラ	147
	エゾコゲラ	140
	エゾセンニュウ	128
	エゾフクロウ	212
	エゾムシクイ	124
	エゾヤマセミ	280
	エゾライチョウ	216
	エナガ	28
お	オオアカゲラ	147
	オオアカハラ	94
	オオカワラヒワ	39
	オオジシギ	268
	オオジュリン	68
	オオセグロカモメ	250
	オオタカ	181
	オオバン	247
	オオムシクイ	127
	オオヨシキリ	130
	オオルリ	110
	オオワシ	209
	オシドリ	222
お	オジロワシ	206
	オナガガモ	238
か	カイツブリ	248
	カケス	160
	カササギ	163
	カシラダカ	64
	カッコウ	174
	カモ類	222
	カモメ類	250
	カラス類	156
	カルガモ	231
	カワアイサ	242
	カワウ	256
	カワガラス	134
	カワセミ	276
	カワラバト(ドバト)	173
	カワラヒワ	36
き	キクイタダキ	34
	キジ(タイリクキジ)	219
	キジバト	171
	キセキレイ	76
	キタアマツバメ	191
	キタキバシリ	26
	キツツキ類	138
	キバシリ	26
	キビタキ	113
	キレンジャク	164
	キンクロハジロ	240
	ギンザンマシコ	54
く	クイナ類	246
	クマゲラ	153
	クロジ	60
	クロツグミ	96
こ	コアカゲラ	146
	コウライキジ	219
	コガモ	225
	コガラ	16
	コゲラ	140
	コサギ	267
	コサメビタキ	116

*「種名」と所属グループの「総称」が異なるものについては、「○○類」として掲載しました

こ	ゴジュウカラ	24
	コチドリ	274
	コマドリ	98
	コムクドリ	86
	コヨシキリ	132
	コルリ	108
さ	サギ類	258
し	シギ類	268
	シジュウカラ	12
	シマエナガ	28
	シマセンニュウ	129
	シメ	48
	ショウドウツバメ	192
	シロハラゴジュウカラ	24
す	スズメ	8
せ	セキレイ類	72
	セグロカモメ	252
	セグロセキレイ	73
	センダイムシクイ	122
	センニュウ類	128
た	ダイサギ	262
	タイリクキジ	219
	タカ類	197
ち	チゴハヤブサ	186
	チドリ類	274
	チュウサギ	267
	チュウダイサギ	264
	チュウヒ	204
つ	ツグミ	88
	ツツドリ	176
	ツバメ	196
と	ドバト(カワラバト)	173
	トビ	197
	トラツグミ	90
に	ニュウナイスズメ	10
の	ノゴマ	100
	ノスリ	201
	ノビタキ	102
は	ハイタカ	179
	ハクセキレイ	74
	ハシビロガモ	234
は	ハシブトガラ	18
	ハシブトガラス	156
	ハシボソガラス	158
	ハト類	168
	ハヤブサ	184
	ハリオアマツバメ	188
	バン	246
ひ	ヒガラ	14
	ヒドリガモ	236
	ヒタキ類	110
	ヒバリ	70
	ヒヨドリ	80
	ヒレンジャク	166
	ビンズイ	72
ふ	フクロウ	212
へ	ベニヒワ	42
	ベニマシコ	52
ほ	ホオアカ	66
	ホオジロ	62
	ホシハジロ	235
ま	マガモ	228
	マキノセンニュウ	129
	マヒワ	40
	マミチャジナイ	95
み	ミコアイサ	244
	ミサゴ	205
	ミソサザイ	136
	ミヤマカケス	160
	ミヤマホオジロ	65
む	ムクドリ	83
	ムシクイ類	122
め	メジロ	32
も	モズ	78
や	ヤブサメ	120
	ヤマガラ	20
	ヤマゲラ	150
	ヤマセミ	280
よ	ヨシキリ類	130
る	ルリビタキ	105
れ	レンジャク類	164
わ	ワシ類	206

◉参考にした本＆資料

日本鳥類目録改訂第8版和名・学名リスト（日本鳥学会 2023）／見分け方と鳴き声野鳥図鑑350（植村慎吾2023）／鳥くんの比べて識別！野鳥図鑑670第4版（永井真人，茂田良光2023）／「いしかり調整池 増加するダイサギ」北海道野鳥だより206（樋口孝城2021）／野鳥手帳（叶内拓哉2021）／フィールド図鑑日本の野鳥第2版（叶内拓哉，水谷高英2020）／日本の野鳥さえずり・地鳴き図鑑増補改訂版（植田睦之2020）／「北海道のスズメにおける嘴基部の色の季節変化と外部計測値による性判定の可能性」日本鳥学会誌68（玉田克巳，池田徹也2019）／見たくなる！日本の野鳥420（永井真人2019）／街・野山・水辺で見かける野鳥図鑑（柴田佳秀2019）／見つけて楽しむ身近な野鳥の観察ガイド（梶ヶ谷博，西教生他2019）／野鳥の名前（安部直哉，叶内拓哉2019）／子どもと一緒に覚えたい野鳥の名前（山﨑宏，momo編集部2018）／小鳥草子（中村文2018）／見わけ・聞きわけ野鳥図鑑（叶内拓哉2018）／ちいさな手のひら事典とり（アンヌ・ジャンケリオヴィッチ，上田恵介2018）／バードリサーチ生態図鑑（NPO法人バードリサーチ2006-2018）／身近な鳥のすごい事典（細川博昭2018）／世界でいちばん素敵な鳥の教室（森山晋平，斉藤安行2017）／鳴き声から調べる野鳥図鑑（松田道生，菅原貴徳2017）／鳥のフィールドサイン観察ガイド（箕輪義隆2016）／日本と北東アジアの野鳥（榛葉忠雄2016）／日本の野鳥識別図鑑（中野泰敬，叶内拓哉，永井凱巳2016）／見る聞くわかる野鳥界識別編／生態編（石塚徹，山岸哲2016）／鳥ってすごい！（樋口広芳2016）／くらべてわかる野鳥（叶内拓哉2016）／「オシドリ雄の雌への付き添い行動」山階鳥類学雑誌46（新田啓子2015）／日本のカモ識別図鑑（氏原巨雄，氏原道昭2015）／日本野鳥歳時記（大橋弘一2015）／ぱっと見わけ観察を楽しむ野鳥図鑑（石田光史，樋口広芳2015）／フィールドガイド日本の野鳥増補改訂新版（高野伸二2015）／身近な鳥の生活図鑑（三上修2015）／日本の野鳥650（真木広造，大西敏一，五百澤日丸2014）／新版日本の野鳥山溪ハンディ図鑑（叶内拓哉，安部直哉，上田秀雄2014）／ときめく小鳥図鑑（中村文，吉野俊幸2014）／日本の鳥300改訂版（叶内拓哉2014）／ネイチャーガイド新訂日本の鳥550山野の鳥（五百澤日丸，山形則男2014）／改訂版鳥のおもしろ私生活（ピッキオ2013）／新訂北海道野鳥図鑑（河井大輔，川崎康弘，島田明英，諸橋淳2013）／新・山野の鳥（谷口高司2013）／新・水辺の鳥（谷口高司2013）／増補新版北海道野鳥ハンディガイド（大橋弘一，谷口高司2013）／北海道鳥類目録第4版（藤巻裕蔵2012）／ワシ・タカ・ハヤブサ識別図鑑（真木広造2012）／日本の野鳥「巣と卵」図鑑（小海途銀次郎，林良博2011）／日本の野鳥「羽根」図鑑（笹川昭雄，山階鳥類研究所2011）／ヨーロッパ産スズメ目の識別ガイド（ラーシュ・スベンソン2011）／北海道野鳥観察地ガイド（大橋弘一2010）／身近な鳥のふしぎ（細川博昭2010）／見る読むわかる野鳥図鑑（安西英明，箕輪義隆2010）／ネイチャーガイド日本の鳥550水辺の鳥増補改訂版（桐原政志，山形則男2009）／身近な鳥の図鑑（平野伸明2009）／基本がわかる野鳥eco図鑑（安西英明，谷口高司2008）／野鳥の羽ハンドブック（高田勝，叶内拓哉2008）／鳥の形態図鑑（赤勘兵衛2008）／図説鳥名の由来辞典（菅原浩，柿澤亮三2005）／原寸大写真図鑑 羽（高田勝，叶内拓哉2004）／日本野鳥大鑑鳴き声420増補版（蒲谷鶴彦，松田道生2001）／野鳥観察図鑑（松田道生1999）／北シベリア鳥類図鑑（A.V.クレチマル1996）／バード・ウォッチング新装版（樋口広芳1997）／原色日本野鳥生態図鑑陸鳥編／水鳥編（中村登流，中村雅彦1995）／山渓フィールドブックス野鳥（叶内拓哉，浜口哲一1991）／山渓カラー名鑑日本の野鳥（高野伸二1985）／知里真志保著作集別巻1分類アイヌ語辞典植物編・動物編（知里真志保1976） ※刊行年降順

◉写真提供者

諸橋 淳 下記以外の写真全点
佐藤 義則 13-15B-17B-18-20-21-23B-27-30Tr/B-32-34-46-61CB-63T-66-69Tr-70r-79Tr/B-82C-84C-85-86-87-89-91T-92-93T-98-99-100-101-103T-105-106-107B-113-115B-121-129B-131T-135T-137C-138-139-142-143T-147-149l-153-154-155B-156-158-160-162Tl-163r-165-167T/B-185B-194-195Tr-213T-214T-217B-219-220-228-250-251-253-268-276-277-280
大橋 弘一 25-35-37B-41T-43-45T-48-49T-51B-52-53T-55-58-63B-67T-68-74-75Tl/C/B-76-79Tl-83-90-97-102-103B-110-114C-123T-128-132-136-140-166-170T-173B-176-193C-206-211r-216-222-224T/C-227C-243-249Ct/Cb-274-278T-281T
私市 一康 9T-12-31B-33-38B-39-54-59-61T-117T-130-131B-137B-141T-178Br-181-182B-184-188-190-227T/B-231-232B-233T-247-248-249T-254-255B-275T-279T
落合 雄介 168-169
須崎 加寿代 183B-202
岡田 全 263B-267Cl
小野 高秀 263Tl
河井 大輔 17T-22B-152B-162B-178Cr
※略記号：T（Top）・C（Center）・B（Bottom）／r（right）・l（left）

EPILOGUE
あとがき

本書は、札幌圏の緑地公園で比較的ふつうに見られる野鳥を主に構成しています。そのため、シマフクロウやタンチョウといった「北の大地の象徴」っぽい鳥たちは登場しません。それでもオジロワシやオオワシ、クマゲラやヤマゲラ、ハシブトガラ、エゾライチョウ、そしてシマエナガ、ミヤマカケスなど「北海道チック」な鳥たちはちゃんと顔をそろえています。アジア最北の大歓楽街を抱いた190万人都市のまわりにも、思いのほかいろいろな鳥たちが暮らしているものです。

もちろん、素敵な鳥との出逢いは「時の運」。逢えればよし、逢えなければそれもまたよし。緑陰にまぎれ姿が見えないのなら声や気配を楽しみ、なんという鳥なのかわからなかったら色彩やしぐさを楽しむ――バードウオッチングとは、本来そういうおっとりした趣味であったはず。目を吊り上げて鳥を追いかけまわすようなものではないと思います。「出逢いの予感」に胸をときめかせた、シンプルでおだやかな探鳥散策を楽しみましょう。

鳥の写真を自分ではほとんど撮らないモノグサものゆえ、『北海道野鳥図鑑』(2003)に引き続き、このたびも同世代の鳥友である諸橋淳・佐藤義則の両氏に多大なる協力を頂戴しました。そして「白羽の矢」を立てたデザイナーの佐藤史恵氏には、「これまでに例のない、美しい図鑑をつくりたい」という筆者の要請に、実に粘り強く対応して頂きました。完成に至るまでには大変なご苦労をおかけしましたが、おかげさまでとても素敵な本になったと思います。制作にあたっては、亜璃西社の井上哲氏、野崎美佐氏のお世話になりました。

初版の刊行(2019年)以来、早くも4年の歳月が流れました。幸いにも好評を得ることができ、このたび改訂版を制作するはこびとなりました。ご支持くださった皆さまに深く感謝申し上げます。旧版の誤りを訂正すると共に、いくつかの項目について記載を改めました。また近年、札幌圏で急増しているダイサギについてのページを新たに追加しました。

書名に「さっぽろ」とうたってはいますが、本書の示すSAPPOROとは「緑に囲まれた大きな街」をイメージしたものです。北海道でしか見られない鳥はいても、札幌圏でしか見られない鳥はおりませんので、道内一円でのご活用を期待しています。そして見分け方の手引きという本来の実用性のみならず、「リビングに居ながらバードウオッチング」をコンセプトにした観賞型レイアウトこそが本書の「ウリ」です。道外の鳥好きの方にも、きっと楽しんで頂けるのではないかと思います。

2023年 霜月　河井大輔

[著者] 河井 大輔（かわい・だいすけ）
1964年大阪生まれ・東京育ち。ネイチャー系ライター&エディター。主な著書に『新訂 北海道野鳥図鑑』（亜璃西社）、『北海道の森と湿原をあるく』（寿郎社）、『奥入瀬自然誌博物館』『奥入瀬diary』『奥入瀬渓流コケハンドブック』『奥入瀬渓流シダハンドブック』『奥入瀬渓流きのこハンドブック』（特定非営利活動法人奥入瀬自然観光資源研究会）など。

[写真・イラスト] 諸橋 淳（もろはし・じゅん）
1965年札幌生まれ。ネイチャー系イラストレーター&フォトグラファー。高校時代より野鳥の撮影をはじめる。特定非営利活動法人雨煙別学校環境教育リーダー。著書に『新訂 北海道野鳥図鑑』（亜璃西社）など。

[写真] 佐藤 義則（さとう・よしのり）
1964年羽幌町焼尻島生まれ。鳥類調査員&写真家。喫茶「自家焙煎ヤマガラ珈琲」店主。『新訂 北海道野鳥図鑑』（亜璃西社）、『庭にくる野鳥ガイドブック 北海道 冬編』（日本野鳥の会札幌支部）などに作品を提供。

[写真提供] 大橋弘一、岡田 全、落合雄介、小野高秀、私市一康、須崎加寿代
[制作スタッフ] 加藤太一、野崎美佐、宮川健二
[制作協力] 竹島正紀

〈改訂版〉さっぽろ野鳥観察手帖 SAPPORO BIRD GUIDE

2019年 8月17日　第1刷発行
2020年 6月30日　第2刷発行
2023年12月24日　改訂第1刷発行

著　者　　河井 大輔
デザイン　佐藤 史恵（SA+O）
編　集　　井上 哲
発行者　　和田 由美
発行所　　株式会社 亜璃西社
　　　　　札幌市中央区南2条西5丁目6-7 メゾン本府701
　　　　　TEL 011-221-5396　FAX 011-221-5386
　　　　　http://www.alicesha.co.jp/
印　刷　　株式会社 アイワード

ISBN 978-4-906740-61-1　C0645

MIGRATORY BIRDS in SAPPORO

札幌に渡って来る鳥たち

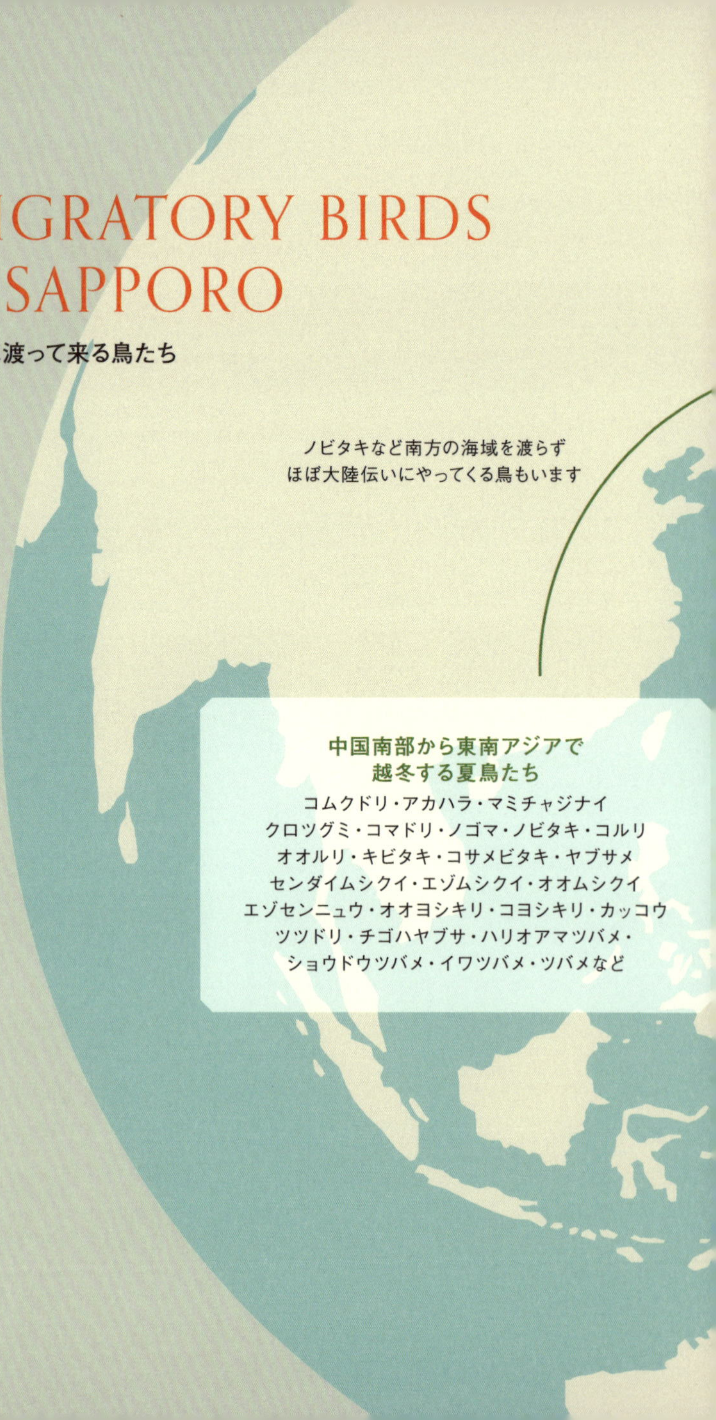

ノビタキなど南方の海域を渡らず
ほぼ大陸伝いにやってくる鳥もいます

中国南部から東南アジアで越冬する夏鳥たち

コムクドリ・アカハラ・マミチャジナイ
クロツグミ・コマドリ・ノゴマ・ノビタキ・コルリ
オオルリ・キビタキ・コサメビタキ・ヤブサメ
センダイムシクイ・エゾムシクイ・オオムシクイ
エゾセンニュウ・オオヨシキリ・コヨシキリ・カッコウ
ツツドリ・チゴハヤブサ・ハリオアマツバメ・
ショウドウツバメ・イワツバメ・ツバメなど